INTUIÇÃO

Osho

INTUIÇÃO

O Saber Além da Lógica

Tradução
HENRIQUE AMAT REGO MONTEIRO

Editora
Cultrix
SÃO PAULO

Título original: *Intuition.*

Copyright © 2001 Osho International Foundation — http://www.osho.com

1ª edição 2003. — 12ª reimpressão 2020.

O material que compõe este livro foi selecionado a partir de várias palestras dadas por Osho a uma plateia ao vivo. Todas as palestras de Osho foram publicadas na íntegra em forma de livro e também estão disponíveis em gravações originais. As gravações e os arquivos de textos completos podem ser encontrados na **OSHO** Library, em www.osho.com.

Todos os direitos reservados. Nenhuma parte deste livro pode ser reproduzida ou usada de qualquer forma ou por qualquer meio, eletrônico ou mecânico, inclusive fotocópias, gravações ou sistema de armazenamento em banco de dados, sem permissão por escrito, exceto nos casos de trechos curtos citados em resenhas críticas ou artigos de revistas.

Publicado mediante acordo com Osho International Foundation, Bahnhofstr. 52, 8001 Zurique, Suíça. www.osho.com

Capa: "Osho Signature Art" – Arte da capa de Osho.

OSHO é uma marca registrada da Osho International Foundation, usada com a devida permissão e licença.

Quaisquer fotos, imagens ou arte final de Osho, pertencentes à Osho International Foundation ou vinculadas a ela por copyright e fornecidas aos editores pela OIF, precisam de autorização da Osho International Foundation para seu uso.

CIP-Brasil Catalogação na Publicação
Sindicato Nacional dos Editores de Livros, RJ

O91i
    Osho, 1931-1990
        Intuição : o saber além da lógica / Osho ; tradução Henrique Amat Rêgo Monteiro. – 1. ed. 7 reimpr. – São Paulo : Cultrix, 2014.
        192 p. : il. ; 19 cm

    Tradução de : Intuition : knowing beyong logic.
    ISBN 978-85-316-0782-0

    1. Intuição (Psicologia). I. Título.
14-10250
                                     CDD:153.44
                                     CDU: 159.956

Direitos de tradução para o Brasil adquiridos com exclusividade pela EDITORA PENSAMENTO-CULTRIX LTDA., que se reserva a propriedade literária desta tradução.
Rua Dr. Mário Vicente, 368 – 04270-000 – São Paulo, SP – Fone: (11) 2066-9000
http://www.editoracultrix.com.br
e-mail: atendimento@editoracultrix.com.br
Foi feito o depósito legal.

*A razão é um esforço para conhecer o desconhecido
e a intuição é a ocorrência do incognoscível.
Penetrar o incognoscível é possível,
mas explicá-lo não é.
A percepção é possível,
a explicação não é.*

Sumário

PREFÁCIO 9

PRIMEIRA PARTE: MAPAS

Capítulo   1: Cabeça, Coração e Ser 17
Capítulo   2: Passado, Presente e Futuro 21
Capítulo   3: Os Três Degraus de uma Escada 30

SEGUNDA PARTE: BARREIRAS AO SABER

Capítulo   4: Conhecimento 55
Capítulo   5: Intelecto 67
Capítulo   6: Imaginação 72
Capítulo   7: Política 85

TERCEIRA PARTE: ESTRATÉGIAS

Capítulo   8: Descasque a Cebola 109
Capítulo   9: Aja com o Lado Feminino 129
Capítulo 10: Mude do Pensamento para o Sentimento 153
Capítulo 11: Relaxe 163
Capítulo 12: Encontre o Guia Interior 168
Capítulo 13: Faça da Felicidade um Critério 175
Capítulo 14: Busque a Poesia 179

Posfácio: Sem Destino 187

Sobre **OSHO** 191

Prefácio

A intuição não pode ser explicada cientificamente porque o fenômeno em si é irracional e não científico. O próprio fenômeno da intuição é irracional. Em termos coloquiais, parece certo perguntar: "A intuição pode ser explicada?" Mas isso quer dizer: "A intuição pode ser reduzida ao intelecto?" E a intuição é algo além do intelecto, algo que não faz parte do intelecto, algo que vem de algum lugar onde o intelecto é totalmente inconsciente. Assim, o intelecto pode *sentir* a intuição, mas não explicá-la.

O salto da intuição pode ser sentido porque existe uma lacuna. A intuição pode ser sentida pelo intelecto — pode-se notar que algo aconteceu — mas não se pode explicar, porque a explicação precisa da causalidade. A explicação significa responder à pergunta de onde a intuição vem, por que vem, qual é a causa. E ela vem de algum lugar, não do intelecto propriamente dito — logo, não há causa intelectual. Não existe uma razão, uma ligação, uma continuidade dentro do intelecto.

A intuição é um campo de ocorrência diferente, que não se relaciona ao intelecto de maneira nenhuma, embora possa penetrar o intelecto. Deve-se entender que uma realidade superior pode penetrar uma realidade inferior, mas a inferior não consegue penetrar a superior. Assim, a intuição pode penetrar o intelecto porque ela é superior, mas o intelecto não pode penetrar a intuição porque ele é inferior.

É exatamente como a sua mente poder penetrar o seu corpo, mas o seu corpo não poder penetrar a mente. O seu ser pode penetrar a mente, mas a mente não pode penetrar o seu ser. É por isso que, se você en-

10 INTUIÇÃO

trar no ser, você terá de se separar tanto do corpo quanto da mente. O corpo e a mente não podem penetrar um fenômeno superior.

Quando você ingressa numa realidade superior, o mundo de ocorrências inferior tem de ser deixado para trás. Não existe uma explicação do superior no inferior, porque os próprios termos da explicação não existem ali; eles não fazem sentido. Mas o intelecto pode sentir a lacuna, pode reconhecer a lacuna. Ele sente que "aconteceu algo que está além de mim". Se até mesmo esse tanto puder ser feito, o intelecto terá feito muito.

Mas o intelecto também pode rejeitar o que aconteceu. É isso que significa ter fé ou não ter fé. Se você sente que o que não pode ser explicado pelo intelecto não existe, você é um "não-crente". Então vai continuar nessa existência inferior do intelecto, atado a ele. Assim você recusa o mistério, não permitindo que a intuição se comunique com você.

Um racionalista é assim. O racionalista não vai nem mesmo ver que surgiu algo do além. Se você é educado racionalmente, não admite o superior; você vai negá-lo, você vai dizer:

— Não pode ser. Deve ser imaginação; deve ser um sonho meu. A menos que eu possa prová-lo racionalmente, não aceito.

A mente racional se fecha, encerrada dentro dos limites da razão, e a intuição não pode penetrar.

No entanto, você pode usar o intelecto sem ser fechado. Então, pode usar a razão como um instrumento, permanecendo aberto. Você está receptivo ao superior; se algo acontecer, estará receptivo. Então, poderá usar o seu intelecto como um auxiliar. Ele observa que "aconteceu algo que está além de mim". Ele pode ajudar você a entender essa lacuna.

Além disso, o intelecto pode ser usado para a expressão — não para a explicação, para a expressão. Um Buda não "explica" nada. Ele é expressivo, mas não explicativo. Todos os Upanixades são expressivos sem nenhuma explicação. Eles dizem: "Isso é assim, isso é assado; isso é o

PREFÁCIO

que está acontecendo. Se você quiser, venha para dentro. Não fique do lado de fora; nenhuma explicação é possível de dentro para fora. Portanto, venha para dentro — torne-se um integrante do grupo."

Mesmo que vá para dentro, as coisas não lhe serão explicadas; você vai ter de chegar a conhecê-las e senti-las. O intelecto pode tentar entender, mas ele tende a fracassar. O superior não pode ser reduzido ao inferior.

* * *

A INTUIÇÃO VIAJA SEM NENHUM VEÍCULO — é por isso que é um salto; é por isso que é um pulo. É um salto de um ponto a outro ponto, sem nenhuma interligação entre os dois. Se eu chegar a você com um passo depois do outro, não será um salto. Só se eu chegar a você sem dar nenhum passo é que será um salto. E um salto *de verdade* é até mesmo mais profundo. Significa que algo existe num ponto A e depois existe num ponto B, e que entre os dois não existe nada. Isso é um verdadeiro salto.

A intuição é um salto — não é algo que chegue até você por meio de passos. Ela é algo que acontece a você, não que chegue até você — algo que acontece a você sem nenhuma causalidade de lugar nenhum, sem nenhuma origem em lugar nenhum. Essa ocorrência súbita, repentina, significa intuição. Se não fosse súbita, nem completamente descontínua em relação ao que aconteceu anteriormente, então a razão descobriria o caminho. Levaria tempo, mas poderia ser feito. A razão seria capaz de conhecê-lo, entendê-lo e controlá-lo. Então, algum dia poderia ser desenvolvido um instrumento, assim como o rádio ou a televisão, em que as intuições poderiam ser recebidas.

Se a intuição viesse por meio de raios ou ondas, então poderíamos construir um aparelho para recebê-las. Mas nenhum aparelho pode cap-

INTUIÇÃO

tar a intuição, porque ela não é um fenômeno ondulatório. Ela não é fenômeno nenhum; ela é simplesmente um salto do nada para o ser.

A intuição significa exatamente isso — é por isso que a razão a nega. A razão nega a intuição porque é incapaz de enfrentá-la. A razão só pode enfrentar fenômenos que possam ser divididos em causa e efeito.

De acordo com a razão, existem duas esferas de existência, o conhecido e o desconhecido. E o desconhecido significa o que ainda não é conhecido mas que algum dia será conhecido. Mas o misticismo diz que existem três esferas: o conhecido, o desconhecido e o incognoscível. Por incognoscível os místicos querem dizer o que nunca poderá ser conhecido.

O intelecto está envolvido com o conhecido e o desconhecido, não com o incognoscível. E a intuição trabalha com o incognoscível, com o que não pode ser conhecido. Não é só uma questão de tempo antes que tal coisa seja conhecida — a incognoscibilidade é a sua característica intrínseca. Não é que os seus instrumentos não sejam sofisticados o suficiente, que a sua lógica não seja atualizada ou que a sua matemática seja primitiva — a questão não é essa. A característica intrínseca do incognoscível é a incognoscibilidade; ela sempre existirá como o incognoscível.

Essa é a esfera da intuição.

Quando algo do incognoscível chega a ser conhecido, é um salto — não existe uma ligação, não existe uma passagem, não existe a passagem de um ponto a outro. Mas parece inconcebível; assim, quando eu digo que você pode senti-lo mas não pode entendê-lo, quando digo essas coisas, eu sei muito bem que estou agindo de maneira completamente absurda. "Absurdo" significa apenas aquilo que não pode ser entendido pelos nossos sentidos, aquilo que é sem sentido. E a mente é um sentido, o mais sutil de todos.

A intuição é possível *porque o incognoscível existe*. A ciência nega a existência do divino porque afirma: "Só existe uma divisão: o conheci-

PREFÁCIO

13

do e o desconhecido. Se existe algum Deus, vamos descobri-lo por meio de métodos de laboratório. Se ele existe, a ciência vai descobri-lo."

Os místicos, por outro lado, afirmam: "Não importa o que você faça, alguma coisa no próprio fundamento da existência vai permanecer incognoscível — um mistério." E se os místicos não estiverem certos, então eu acho que a ciência irá destruir todo o significado da vida. Se não existir mistério, todo o significado da vida será destruído e toda a beleza será destruída.

O incognoscível é a beleza, o significado, a aspiração, a meta. Por causa do incognoscível, a vida significa alguma coisa. Quando tudo for conhecido, então tudo estará esclarecido, nivelado, monótono. Você ficará saciado, entediado.

O incognoscível é o segredo; ele é a vida em si.

Eu vou dizer o seguinte:

A razão é um esforço para conhecer o desconhecido, e a intuição é a ocorrência do incognoscível. Penetrar o incognoscível é possível, mas explicá-lo não.

A percepção é possível; a explicação não é. Quanto mais você tenta explicá-la, mais bloqueado você se torna, portanto não tente. Deixe a razão atuar em seu próprio campo, mas lembre-se sempre de que existem esferas mais profundas. Existem razões mais profundas que a razão não pode entender. Razões superiores, que a razão é incapaz de conceber.

PARTE I

Mapas

*Quando o corpo funciona espontaneamente,
isso é chamado de instinto.
Quando a alma funciona espontaneamente,
isso é chamado de intuição.
Instinto e intuição se parecem e, ainda assim,
uma grande distância os separa.
O instinto é do corpo — o denso;
e a intuição é da alma — o sutil.
E entre os dois está a mente, a especialista,
que nunca funciona espontaneamente.
Mente significa conhecimento.
O conhecimento nunca poderá ser espontâneo.
O instinto é mais profundo do que o intelecto e
a intuição é superior ao intelecto.
Ambos estão além do intelecto, e ambos são bons.*

CAPÍTULO 1

CABEÇA, CORAÇÃO E SER

A sua individualidade pode ser dividida — apenas com a finalidade de ser compreendida; do contrário não existe divisão. Ela é uma unidade independente, integral: cabeça, coração e ser.

O intelecto é o funcionamento da cabeça, o instinto é o funcionamento do corpo e a intuição é o funcionamento do coração. E por trás desses três encontra-se o seu ser, cuja única característica é a de testemunhar.

A cabeça apenas pensa; daí por que ela nunca chega a nenhuma conclusão. Ela é verbal, lingüística, lógica, mas por ela não ter raízes na realidade, milhares de anos de pensamento filosófico não nos deram uma única conclusão. A filosofia tem sido o maior exercício da futilidade. O intelecto é muito esperto para criar perguntas e em seguida criar respostas, e então, dessas respostas, mais perguntas e mais respostas. Ele pode fazer palácios de palavras, conjuntos de teorias, mas tudo isso simplesmente não passa de asneiras.

O corpo não pode confiar no intelecto, porque o corpo tem de viver. É por isso que todas as funções essenciais do corpo estão nas mãos do instinto — por exemplo, a respiração, os batimentos cardíacos, a digestão dos alimentos, a circulação do sangue —, mil e um processos se desenvolvem dentro do seu corpo, nos quais você não tem participação nenhuma.

INTUIÇÃO

E é bom que a natureza tenha dado ao corpo uma sabedoria própria. Do contrário, se o intelecto tivesse de tomar conta do corpo, a vida seria impossível! Porque às vezes você poderia se esquecer de respirar — à noite, pelo menos, como você iria respirar enquanto estivesse dormindo? Você já está muito confuso apenas com os pensamentos; nessa confusão, quem cuidaria da circulação sanguínea, preocupando-se se a quantidade certa de oxigênio atingiria as suas células ou não? Se o alimento que você ingere seria decomposto em seus constituintes básicos e se esses constituintes seriam enviados aos locais necessários? E toda essa imensa quantidade de trabalho é feita por instinto. Você não é necessário. Você pode permanecer em coma; ainda assim o corpo vai continuar funcionando.

A natureza deixou todas as funções essenciais do corpo ao instinto, assim como deixou também tudo o que dá sentido à vida... porque simplesmente existir, simplesmente sobreviver, não faz sentido nenhum. Para dar sentido à sua vida, a existência deu a intuição ao seu coração. Da intuição surge a possibilidade da arte, da estética, do amor, da amizade — todos os tipos de criatividade são intuitivos.

Mas o mercado não precisa da sua intuição. Ele não negocia com o amor, com as suas sensibilidades; ele se ocupa das coisas mais concretas e mundanas. Por isso, o seu intelecto — que é a parte mais superficial — funciona. O intelecto é para a vida mundana, com os outros no mercado, no mundo, para capacitar você a funcionar. Ele é a matemática, a geografia, a história, a química — todas as ciências e todas as tecnologias são criadas pelo intelecto. A sua lógica e a sua geometria são úteis — mas o intelecto é cego. Ele simplesmente continua criando coisas, mas não sabe se elas estão sendo usadas para a destruição ou para a criação. Uma guerra nuclear será uma guerra criada pelo intelecto.

O intelecto tem a sua utilidade, mas por alguma infelicidade ele se tornou o senhor de todo o seu ser. Isso criou imensos problemas no mundo.

CABEÇA, CORAÇÃO E SER

O senhor está oculto atrás destes três: corpo, mente, coração. O senhor está oculto atrás desses três — esse é o seu ser. Mas você nunca vai para dentro de si; todas as suas vias dão para fora, todos os seus sentidos estão voltados para fora. Todas as suas conquistas estão lá fora, no mundo.

O intelecto é útil no mundo e todos os seus sistemas educacionais são técnicas para evitar o coração e tirar a sua energia diretamente da cabeça. O coração pode criar problemas para a cabeça — o coração não conhece nada de lógica. O coração tem um centro de funcionamento totalmente diferente, e esse é a intuição. Ele conhece o amor, mas o amor não é uma mercadoria de alguma aplicação no mundo. Ele conhece a beleza, mas o que você vai fazer com a beleza no mercado?

As pessoas do coração — os pintores, os poetas, os músicos, os dançarinos, os atores — são todas irracionais. Elas produzem grande beleza, elas são grandes amantes, mas estão completamente deslocadas numa sociedade que é organizada pela cabeça. Os artistas são considerados pela sua sociedade quase como párias, um pouco malucos, um tipo de gente insana, visionária. Ninguém quer que os seus filhos se tornem músicos, pintores ou dançarinos. Todos querem que eles sejam médicos, engenheiros, cientistas, porque essas profissões compensam. A pintura, a poesia, a dança são perigosas, arriscadas — você pode acabar simplesmente como um mendigo na rua, tocando flauta.

O coração tem sido renegado — e, a propósito, será conveniente recordar que a negação do coração tem sido a negação da mulher. E a menos que o coração seja aceito, a mulher não pode ser aceita. A menos que o coração tenha a mesma oportunidade de crescimento que a cabeça, a mulher não pode ter a sua liberação. A mulher é coração e o homem é cabeça. A diferença é clara.

O instinto, a natureza o tomou da mulher nas próprias mãos. E sempre que interfere com o instinto você cria perversões. Todas as religiões têm feito isso; toda religião tem interferido com o corpo — e o corpo é absolutamente inocente, nunca fez nada errado. Se você aceitar o corpo em sua absoluta naturalidade, ele irá ajudá-lo tremendamente. Ele ajudará o seu coração, alimentará o seu coração. Ele ajudará a sua inteligência a se tornar mais afiada, porque o alimento para o intelecto vem do corpo, o alimento do coração vem do corpo. E se a sua cabeça, o seu coração e o seu corpo estiverem todos numa sinfonia, então encontrar o seu ser será a coisa mais fácil do mundo. Mas porque eles estão em conflito, toda a sua vida continua a ser desperdiçada nesse conflito, conflito entre o instinto, o intelecto e a intuição.

Uma pessoa sensata, sábia, é aquela que cria uma harmonia entre a cabeça, o coração e o corpo. Nessa harmonia se chega à revelação da fonte da própria vida, o verdadeiro centro, a alma. E esse é o maior êxtase possível — não só para os seres humanos como nesse universo inteiro, nada mais é possível.

Eu não estou contra nada. Estou apenas contra a desarmonia, e porque a sua cabeça está criando a situação mais desarmoniosa, eu quero que a sua cabeça seja colocada em seu lugar certo. Ela é um servo, não um senhor. Como servo ela é ótima, muito útil.

Um leiteiro de Dublin acabara de fazer as suas entregas, então parou o cavalo e a carroça na porta do bar e entrou para tomar uma bebida. Depois de uma hora, refeito, ele saiu e encontrou o seu cavalo pintado de verde-claro. Com muita raiva, voltou para dentro do bar e perguntou:

— Quem de vocês pintou o meu cavalo de verde?

Um gigante irlandês de uns dois metros de altura levantou-se e, inclinando-se sobre ele, declarou:

— Fui eu. Quer fazer alguma coisa a respeito disso?

O leiteiro deu uma risadinha amarela e respondeu:

— Eu só vim lhe dizer que a primeira demão já secou.

O intelecto é muito útil! Existem situações em que você vai precisar do intelecto — mas apenas como um servo, não como o senhor.

CAPÍTULO 2

PASSADO, PRESENTE E FUTURO

Você tem um passado, você tem um presente e você tem um futuro. O instinto é o que pertence ao seu passado animal. Ele é muito velho, muito sólido; é a herança de milhões de anos. E quando digo que ele é animalesco, não o estou condenando. À palavra *animal* os sacerdotes de todas as religiões associaram alguma condenação — mas eu estou simplesmente afirmando um fato, sem nenhuma espécie de condenação. O nosso passado foi um passado animal. Nós passamos por todos os tipos de animais; a nossa evolução ocorreu desde o peixe até o homem, passando por todas as espécies de animais. Foi uma jornada muito longa até chegar à humanidade.

O intelecto é humano. Ele é o nosso presente. É assim que funcionamos, por intermédio do intelecto. Todas as nossas ciências, todos os nossos negócios, todas as nossas profissões, tudo o que está acontecendo no mundo — a nossa política, a nossa religião, a nossa filosofia — tudo se baseia no intelecto. O intelecto é humano.

O instinto é quase infalível porque ele é muito velho, muito maduro, muito experiente. Os seus olhos estão piscando — isso é culpa sua? Eles continuam fazendo tudo por si mesmos — isso é instinto. O seu coração está batendo, a sua respiração entra e sai; não depende do seu intelecto cuidar de todas essas funções essenciais à vida. Elas estão nas mãos do instinto, porque o instinto é absolutamente infalível. Ele nunca se esquece de respirar, ele nunca se esquece de nada.

O intelecto é muito falível porque ele é muito novo, uma conquista recente. Ele está simplesmente tateando no escuro, ainda tentando descobrir o que é e qual é o seu lugar. E porque ele não tem raízes na experiência, ele substitui a experiência por crenças, filosofias, ideologias. Estas se tornam o foco do intelecto. Mas elas são todas falíveis porque são todas fabricadas pelo homem, produzidas por algum sujeito esperto. E elas não se aplicam a todas as situações. Elas podem ser certas numa situação e em outra situação podem não ser certas. Mas o intelecto é cego, ele não sabe como lidar com o novo. Ele sempre dá a resposta velha para a pergunta nova.

Paddy e Sean estavam sentados em frente ao prostíbulo local em Dublin, discutindo as virtudes da fé católica. De repente, Gideon Greenberg, o rabino local, aproximou-se da porta, olhou para um lado e para o outro, depois subiu correndo as escadas.

— Você viu só? — caçoou Paddy. — Ainda bem que sou católico.

Dez minutos mais tarde, o pastor anglicano aproximou-se da porta, olhou rapidamente ao redor, então subiu apressadamente as escadas.

— Outro hipócrita — comentou Paddy. — Graças a Deus que sou católico.

Alguns minutos depois, Sean cutucou Paddy, dizendo:

— Ei, cara, olhe só! É o padre O'Murphy vindo nesta direção.

Os dois homens observaram num silêncio constrangido enquanto o padre católico desaparecia pelas escadas do prostíbulo. De repente, Paddy levantou-se de um salto, fez o sinal da cruz e atacou Sean:

— Onde está o seu respeito? Levante-se e tire o chapéu! Deve haver algum morto na casa!

PASSADO, PRESENTE E FUTURO

O intelecto vive por meio de preconceitos; ele nunca é justo. Exatamente pela sua própria natureza ele não pode ser justo, porque não tem experiência. O instinto é sempre justo e lhe demonstra exatamente a maneira natural, a maneira relaxada e a maneira pela qual o universo flui. Mas, estranhamente, o instinto tem sido condenado por todas as religiões e o intelecto tem sido valorizado.

É claro que se todo mundo seguir o instinto não há necessidade de nenhuma religião, não há necessidade de Deus, nem há necessidade de padres. Os animais não precisam de Deus e são perfeitamente felizes — não consigo ver como eles sintam falta de Deus. Nem um único animal, nem um único pássaro, nem uma única árvore sente falta de Deus. Eles estão todos aproveitando a vida na sua mais completa beleza e simplicidade, sem nenhuma necessidade de temer o inferno e nenhuma busca ansiosa pelo paraíso, sem diferenças filosóficas. Não existem leões católicos, não existem leões protestantes nem hinduístas.

Todos os seres vivos devem estar rindo do homem, do que aconteceu aos seres humanos. Se os pássaros podem viver sem religiões, igrejas, mesquitas e templos, por que o homem não consegue? Os pássaros nunca travam guerras religiosas; nem os animais, nem as árvores. Mas você é muçulmano e eu sou hinduísta, e nós não podemos coexistir — ou você se converte à minha religião ou se rende; ou vou lhe mandar para o céu imediatamente!

Por causa do fato de que se o instinto é valorizado essas religiões perdem toda a sustentação filosófica, toda razão de existir, elas valorizam o intelecto.

E a terceira coisa, que é o seu futuro, é a intuição. Então essas três palavras têm de ser entendidas.

O instinto é físico — o seu passado, baseado na experiência de milhões de anos, infalível, nunca comete nenhum erro e faz milagre em você com o que você nem sequer faz idéia. Como o seu alimento se converte em sangue? Como a sua respiração continua a funcionar mesmo quando você está dormindo? Como o seu corpo separa o oxigênio do nitrogênio? Como o seu mundo natural instintivo continua a distribuir a todas as partes do seu corpo tudo o que elas necessitam? Quanto oxigênio é necessário na cabeça para que a sua mente funcione? A quantidade exata é enviada através do sangue que corre pelo seu corpo, distribuindo o oxigênio novo, retirando o velho, usado, as células mortas, repondo-as com as novas e levando-as de volta aos lugares onde possam estar disponíveis.

Os cientistas dizem que o que o instinto faz para o homem não somos ainda capazes de fazer. E num corpo pequeno o instinto faz muitos milagres. Se algum dia a ciência quisesse fazer o trabalho de um único corpo humano, seria necessária no mínimo uma fábrica de quase quatro quilômetros quadrados para um único ser humano. Uma tremenda maquinaria! E ainda assim não seria infalível; a maquinaria pode quebrar, pode parar, pode faltar eletricidade. Mas por setenta anos ininterruptos, ou até mesmo uma centena de anos no caso de algumas pessoas, o instinto continua a funcionar perfeitamente bem. A eletricidade nunca falta. Nem mesmo um único erro é cometido; tudo corre de acordo com o plano, e o plano está em cada célula do seu corpo. No dia em que nós pudermos entender o código das células humanas, seremos capazes de prever tudo a respeito de uma criança até mesmo antes de ela nascer, mesmo antes de ela estar no útero da mãe. As células dos pais têm um programa e nesse programa está contida a sua idade, a sua saúde, que tipo de doenças você terá, o seu gênio, a sua inteligência, os seus talentos e todo o seu destino.

Assim como o instinto, na outra polaridade do seu ser — além da mente, que é o mundo do intelecto — encontra-se o mundo da intuição.

A intuição abre as suas portas através da meditação. A meditação é simplesmente bater às portas da intuição. A intuição também está completamente pronta. Ela não aumenta; você a herdou também da existência. A intuição é a sua consciência, o seu ser.

PASSADO, PRESENTE E FUTURO

O intelecto é a sua mente. O instinto é o seu corpo. E assim como o instinto funciona perfeitamente para o bem do seu corpo, a intuição funciona perfeitamente bem no que diz respeito à sua consciência. O intelecto encontra-se exatamente entre essas duas — uma passagem a ser transposta, uma ponte a ser cruzada. Mas existem muitas pessoas, muitos milhões de pessoas, que nunca cruzaram a ponte. Elas simplesmente sentam-se na ponte e pensam que chegaram em casa.

A casa está na margem oposta, além da ponte. A ponte une instinto e intuição. Mas tudo depende de você. Você pode começar a fazer uma casa na ponte — então terá se extraviado.

O intelecto não vai ser a sua casa. Ele é um instrumento muito pequeno, para ser usado apenas para passar do instinto para a intuição. Assim, apenas a pessoa que usa o intelecto para ir além dele pode ser chamada de inteligente.

A intuição é existencial. O instinto é natural. O intelecto está apenas tateando no escuro. Quanto mais rápido você ultrapassa o intelecto, melhor; o intelecto pode ser uma barreira aos que pensam que não existe nada além dele. O intelecto pode ser uma passagem magnífica para aqueles que entendem que existe com certeza alguma coisa além dele.

A ciência parou no intelecto — é por isso que ela não pode descobrir nada sobre a consciência. O intelecto sem a sua intuição desperta é uma das coisas mais perigosas do mundo. E nós estamos vivendo sob os perigos do intelecto porque o intelecto deu à ciência um poder imenso. Mas o poder está nas mãos das crianças, não nas mãos das pessoas sábias, sensatas.

A intuição torna o homem sensato — chame-a iluminação, chame-a despertar; esses são simplesmente nomes diferentes para sabedoria. Apenas nas mãos da sabedoria o intelecto pode ser usado como um servo formidável.

E o instinto e a intuição funcionam juntos perfeitamente bem — um no nível físico, outra no nível espiritual. Todo o problema da hu-

26 INTUIÇÃO

manidade está em ficar presa no meio, na mente, no intelecto. Então você tem o sofrimento, a ansiedade, a agonia, a falta de sentido e todos os tipos de tensão, sem nenhuma solução que possa ser encontrada para onde quer que se olhe.

O intelecto torna tudo um problema e não conhece nenhuma solução. O instinto nunca cria nenhum problema e não precisa de nenhuma solução; ele simplesmente funciona naturalmente. A intuição é solução pura, não tem problemas. O intelecto é apenas problemas, ele não tem solução.

Se você enxerga corretamente a divisão, é muito simples entender; a menos que o instinto esteja disponível, você estará morto. E a menos que a intuição esteja disponível, a sua vida não terá significado — você apenas se arrasta. É uma espécie de vida vegetativa.

A intuição traz significado, esplendor, alegria, bênçãos. A intuição lhe proporciona os segredos da existência, lhe proporciona um tremendo silêncio e uma serenidade, que não podem ser perturbados e que não podem ser tirados de você.

Com o instinto e a intuição funcionando juntos, você também pode usar o intelecto para as finalidades certas. De outra maneira você tem apenas meios mas não fins. O intelecto não faz idéia de nenhum fim. Isso é o que criou a situação atual do mundo — a ciência continua produzindo coisas mas não sabe por quê. Os políticos continuam usando essas coisas sem saber que elas são destrutivas, que elas estão preparando o suicídio global. O mundo precisa de uma enorme rebelião que poderá levá-lo além do intelecto para os silêncios da intuição.

A própria palavra *intuição* tem de ser entendida. De acordo com o significado etimológico,[*] intuição significa algo que surge dentro do

---

[*] Em português, a palavra *intuição* deriva de *intuitione* (latim tardio, significando "imagem refletida por um espelho"). Filosoficamente, significa o conhecimento direto e ime-

PASSADO, PRESENTE E FUTURO

seu ser; é o seu potencial. A sabedoria nunca é tomada emprestada, e o que é tomado emprestado nunca é sabedoria. A menos que você tenha a sua própria sabedoria, a sua própria visão, a sua própria clareza, os seus próprios olhos para ver, você não será capaz de entender o mistério da existência.

No que me diz respeito, sou absolutamente favorável ao instinto. Não o perturbe.

Toda religião tem ensinado a perturbá-lo — o que é jejuar senão perturbar o instinto? O seu corpo está faminto e pedindo alimento e você o mantém carente por motivos espirituais. Um estranho tipo de espiritualidade tem-se apossado do seu ser. Ela devia ser chamada simplesmente de estupidez, não de espiritualidade. O seu instinto está pedindo água, ele está sedento; o seu corpo precisa de água. Mas as suas religiões... O jainismo não permite que ninguém nem mesmo beba água durante a noite. Bem, no que diz respeito ao corpo, ele pode sentir sede, especialmente durante o verão, num país quente como a Índia — e o jainismo existe apenas na Índia. Quando eu era criança, costumava me sentir muito culpado porque tinha de beber água durante a noite. Não conseguia dormir sem beber ao menos uma vez durante as noites quentes de verão, mas eu me sentia como se estivesse fazendo algo que não era permitido, como se estivesse cometendo um pecado. Idéias estranhas e estúpidas são impingidas às pessoas.

Eu sou a favor do instinto. E esse é um dos segredos que quero revelar a você: se você for totalmente a favor do instinto, será muito fácil encontrar o caminho para a intuição. Porque os dois são a mesma coi-

---

diato de um objeto, material ou espiritual, na plenitude da sua realidade. Opõe-se ao conhecimento discursivo (dedução, indução), caracterizado pela sucessão de estágios e marcado, portanto, pela temporalidade; a intuição seria atemporal e, por isso mesmo, considerada uma forma adequada à apreensão das verdades absolutas. (N. do T.)

sa, muito embora atuem em níveis diferentes — um atua no nível material, a outra funciona no nível espiritual. Aceitar a sua vida instintiva com absoluta alegria, sem nenhuma culpa, ajudará você a abrir as portas da intuição — porque o instinto e a intuição não são diferentes, apenas os seus planos são diferentes. E assim como o instinto funciona admiravelmente, em silêncio, sem nenhum ruído, também a intuição age da mesma forma — e até mais silenciosamente, de uma maneira muito mais admirável.

O intelecto é uma perturbação. Mas depende de nós querermos torná-lo uma perturbação ou usá-lo como um degrau. Quando você se depara com uma pedra na rua, você pode considerá-la como um obstáculo ou usá-la como um degrau para um plano superior. Aqueles que realmente entendem, usam o intelecto como um degrau. Mas as massas estão sob o controle das religiões que lhes ensinam: "Usem o seu intelecto como uma força de repressão ao instinto." As religiões estão ocupadas em lutar contra o instinto e se esquecem de tudo o que diz respeito à intuição. As religiões canalizam toda a energia de que dispõem para a luta contra a sua força vital. E quando você luta continuamente contra o instinto...

Um monge jainista deve permanecer nu durante todo o ano, mesmo nos meses de inverno, mesmo durante as noites frias. Ele não pode usar um cobertor, ele não pode usar um lençol, não pode usar nada para cobrir o corpo, de dia ou de noite. Ele tem de jejuar. Quanto mais ele jejuar, mais santo ele se torna aos olhos do mesmo tipo de pessoas condicionadas — trinta dias, quarenta dias... Isso é lutar contra o corpo. Isso é dominar o corpo e a matéria, isso é o espírito dominando o corpo. É a mesma situação em todas as religiões, com diferentes superstições. Elas convertem a energia do intelecto contra o instinto, e isso elimina todas as possibilidades de que a flor da intuição desabroche.

A intuição é a rosa mística que levará você ao êxtase supremo e à vida imortal. Mas as pessoas parecem estar absolutamente nas mãos do passado morto. O que quer que as antigas escrituras lhe digam, elas continuam a fazê-lo, sem nem sequer considerar toda a ciência humana.

Essas são as três camadas da ciência integral do homem. Você deve permitir que o instinto flua relaxado. Nunca o perturbe com o intelecto por motivo nenhum. E o intelecto deve ser usado como uma abertura para a intuição. Simplesmente, ele tem de abrir caminho para que a intuição assuma o controle da sua vida. Então a sua vida será uma vida de imensa luz, de iluminação. Ela se tornará uma festa constante.

CAPÍTULO 3

OS TRÊS DEGRAUS DE UMA ESCADA

A intuição é o degrau mais alto da escada, a escada da consciência. Essa escada pode ser dividida em três partes: a parte mais baixa e a primeira é a do instinto; a segunda, a do meio, é a do intelecto; e a terceira, a mais alta, é a da intuição.

Essas três características são inatas. Não se pode aprendê-las, não há como desenvolvê-las com ajuda externa.

O instinto é o mundo dos animais — tudo é instinto. Mesmo que às vezes você veja indicações de outras coisas, trata-se de projeções suas. Por exemplo, ao ver o amor dos animais — a mãe cuidando dos filhos com carinho, delicadamente — você pode pensar que isso não se trata apenas de instinto, que é algo superior, não só biológico. Mas não é superior, é simplesmente biológico. A mãe age daquela maneira como um robô nas mãos da natureza. Ela não tem alternativa — tem de agir daquela maneira.

Entre muitos animais o pai não tem o instinto de paternidade; ao contrário, muitos chegam a matar os próprios filhos para comê-los. Por exemplo, entre os crocodilos, a vida dos filhos corre um imenso perigo. A mãe é protetora e luta pela vida dos filhos, mas o pai apenas quer ter um bom desjejum! O pai não tem instinto de paternidade; na verdade,

OS TRÊS DEGRAUS DE UMA ESCADA

o pai é uma instituição humana. A mãe crocodilo tem de manter os filhos na boca para protegê-los do pai. Ela tem uma boca grande — todas as mulheres têm boca grande — e consegue manter quase uma dúzia de filhos na boca. Na boca da mãe, entre os seus perigosos dentes, os filhos estão perfeitamente seguros. A coisa mais difícil para os filhos é descobrir quem é a mãe e quem é o pai, porque ambos são parecidos. E às vezes os filhos se aproximam do pai, entram em sua boca e ali permanecem pela eternidade: nunca verão a luz do sol outra vez.

Mas a mãe tenta lutar, proteger. Talvez seja por isso que a natureza dê filhotes de crocodilos em tamanha profusão: a mãe tem uma dúzia de cada vez, todo ano. Se ela conseguir salvar até mesmo dois, manterá a população estável, mas ela consegue proteger quase a metade dos seus filhotes.

Alguém que esteja observando poderá considerar o pai como realmente cruel, sem compaixão, sem amor, e que a mãe é realmente maternal. Mas esse observador estará apenas protegendo as próprias idéias. A mãe protege os filhotes não por algum motivo de consciência; está nos hormônios dela protegê-los, e o pai não tem nada que ver com esses hormônios. Caso lhe injetem esses hormônios ele vai parar de matar os próprios filhos. Então é uma questão de química, não de psicologia ou de alguma coisa superior à bioquímica.

Noventa por cento da vida humana ainda pertence ao mundo animal. Vivemos por instinto.

Você se apaixona por uma mulher, ou uma mulher se apaixona por você, e você acha isso uma coisa ótima. Não é ótimo, é simples fascinação ou cegueira instintiva: trata-se dos hormônios sendo atraídos pelos hormônios opostos. Você é apenas um joguete nas mãos da natureza. Nenhum animal se importa com as delicadezas e as sutilezas do amor, mas o homem acha que ser apenas instintivo é ofensivo, humilhante. O seu amor é apenas bioquímica? O seu amor é poesia, o seu amor é arte, o seu amor é filosofia — mas bioquímica? Parece como se você tivesse vergonha da sua biologia, da sua composição química, da sua natureza.

Mas não é assim que se deve entender. Você tem de entender exatamente o que é o quê. As distinções devem ficar claras, do contrário você vai ficar sempre confuso. O seu ego vai continuar fazendo você projetar o mais alto possível coisas que não têm nada que ver com algo superior ao estrato mais inferior.

O seu amor é apenas uma ilusão criada pela composição química. Pense no seguinte: se a idéia romântica do amor for deixada de lado, então não acho que algum homem ou mulher seria capaz de suportar o sexo e o absurdo que ele é. Ele pareceria algo estúpido. Simplesmente deixe de lado a idéia romântica e pense em termos lógicos de biologia e química; então o seu sexo vai fazer você se sentir envergonhado. Não há nada nele de que se gabar. Simplesmente, imagine-se fazendo amor com um homem ou uma mulher sem nenhum romance, sem nenhuma poesia, nada de Omar Khayyam, nada de Shelley, nada de Byron — simplesmente como um processo de reprodução, porque a natureza quer se procriar por seu intermédio, porque a natureza sabe que você vai morrer. Você não é permanente; antes de você morrer, a natureza quer que a vida continue. Mas o homem não pode encarar o sexo a menos que ele tenha algo de romântico, então ele criou uma grande cortina de fumaça ao redor do sexo, à qual chama de amor. Ele finge, até mesmo acredita, que seja amor — mas observe com mais cuidado.

Você está interessado numa mulher, ou num homem. O instinto natural na mulher é praticar o esconde-esconde. É muito estranho que em todas as culturas, em todo o mundo, as crianças adotem duas brincadeiras sem falta. As suas religiões são diferentes, as suas culturas são diferentes, as suas raças são diferentes, as suas sociedades, as suas línguas — tudo é diferente — mas em tudo o que se refere a essas duas brincadeiras, sejam elas nascidas na África, na China, na América ou na Índia,

OS TRÊS DEGRAUS DE UMA ESCADA

não faz diferença. Uma delas é a brincadeira de esconde-esconde. É estranho que, em todo o mundo, nem uma única cultura existiu sobre a terra sem que as crianças tivessem deixado de brincar de esconde-esconde. Parece alguma coisa que ver com o instinto, como se elas estivessem se preparando para uma brincadeira maior de esconde-esconde. Aquilo seria apenas um ensaio, e então pelo resto da vida o jogo continua.

A mulher é sempre aquela que tenta se esconder, e o homem é sempre o macho que procura. Para ele, procurar é um desafio — quanto mais a mulher se esconde, mais ele é desafiado e se excita.

No entanto, todas as crianças, em todo o mundo, brincam de esconde-esconde. Ninguém as ensina, então como essa brincadeira se tornou universal? Deve ser algo que brota da sua natureza interior — uma necessidade de procurar, de buscar, um desafio.

Essas coisas acontecem naturalmente — ninguém decide essas coisas, elas fazem parte da sua natureza biológica. Mas a natureza tem sido sábia o bastante para lhe dar a ilusão do amor; de outra maneira, apenas com a finalidade da reprodução, para que a vida continue, você não faria todos aqueles exercícios e as oitenta e quatro posições sexuais que o Vatsyayana prescreve — estranhas, horríveis, estúpidas. Se você descartasse o amor, então o sexo puro pareceria realmente muito animalesco. Esse é um dos problemas que a humanidade tem enfrentado durante toda a sua existência e ainda vem enfrentando. Só se pode esperar que no futuro possamos torná-lo mais digerível.

O homem continua procurando, persuadindo, escrevendo cartas de amor, enviando presentes e fazendo de tudo ao seu alcance; mas assim que o seu sexo é satisfeito, ele começa a se mostrar desinteressado. Bem, não é algo que ele faça conscientemente. Ele não quer magoar; especialmente a pessoa amada, ele não pretende magoar. Mas esse é o comportamento da biologia. Todo aquele romance e todo o amor eram apenas cortina de fumaça em que a natureza tentava esconder a atividade sexual, a qual em si mesma tem uma aparência feia, assim ela procura encobri-la com uma aparência agradável, bonita.

No entanto, tão logo o trabalho da natureza é feito por seu intermédio, toda aquela fumaça desaparece. O instinto só conhece o sexo. O amor é apenas uma cobertura adocicada sobre uma pílula amarga só para ajudar você a engoli-la. Não vá mantê-la na sua boca, do contrário não será capaz de engoli-la; em pouco tempo, a tênue cobertura de açúcar terá se desmanchado e você acabará cuspindo a pílula fora.

Daí por que os amantes têm tanta pressa em fazer amor. Qual é a pressa? Por que eles não podem esperar? O açúcar é muito fino e eles têm medo de que, se ficar muito tarde, o açúcar possa se dissolver e então se revele todo o amargor, o verdadeiro amargor.

O instinto não torna você humano, ele simplesmente mantém você um animal — de duas pernas, mas ainda assim você é um animal.

O segundo degrau, o intelecto, lhe dá alguma coisa que é superior à biologia, a química, a natureza animal. O intelecto também é inato, assim como a intuição, assim como o próprio instinto. Não há como aumentar a sua capacidade intelectual; o máximo que se pode fazer é atualizar todo o seu potencial, o que vai dar a impressão de que o seu intelecto terá crescido. A realidade é que a pessoa mais inteligente usa apenas quinze por cento do seu potencial; a pessoa normal, vulgar, comum usa apenas seis a sete por cento. Oitenta e cinco por cento da inteligência permanece sem ser usada até mesmo por um Albert Einstein ou um Bertrand Russell. Os oitenta e cinco por cento podem ser disponibilizados e será um crescimento enorme. Você vai pensar que certamente a sua inteligência aumentou. Mas você simplesmente recuperou, reabilitou o que já possuía.

Nós encontramos maneiras de ensinar o intelecto e aumentar a sua capacidade de memória. Todas as escolas, faculdades e universidades — todo o sistema educacional ao redor do mundo está fazendo apenas uma

OS TRÊS DEGRAUS DE UMA ESCADA

coisa: aguçando o intelecto. Mas surgiu um problema, que não foi previsto pelos educadores. Quando o intelecto torna-se um pouco mais poderoso, ele começa a interferir no instinto. Então tem início uma competição, um luta pelo poder.

O intelecto tenta dominar e, uma vez que tem a lógica do seu lado — a razão, a lógica, mil e uma provas —, consegue convencer você, até onde alcança o seu consciente, de que o instinto é algo maligno. É por isso que todas as religiões têm condenado o instinto.

As religiões não passam de jogos intelectuais — o instinto faz parte do seu inconsciente e o intelecto faz parte do seu consciente, mas o problema é que o consciente é apenas um décimo do inconsciente. Ele é simplesmente como um iceberg: apenas um décimo aparece à superfície da água, os nove décimos restantes estão escondidos embaixo da água. O seu consciente é apenas uma décima parte, mas ele aparece; você tem conhecimento dele. Você não sabe nada sobre o seu inconsciente.

O consciente tem sido ensinado nas escolas, nas faculdades, nas universidades, nas igrejas, nas sinagogas — em toda parte. E eles preparam o seu consciente *contra* o instinto. Esse é um fenômeno terrível, estão tornando você antinatural, contra si mesmo.

Mas o inconsciente está sempre em silêncio; ele está mergulhado na escuridão. Ele não está nem um pouco preocupado com o consciente. O que quer que você decida com o consciente pode simplesmente ser jogado fora pelo inconsciente a qualquer momento, porque ele é nove vezes mais poderoso. Ele não se importa com a sua lógica, com o seu raciocínio, com nada.

Não foi sem razão que até mesmo um homem como Gautama Buda foi contra permitir a iniciação de mulheres na sua comunidade. Ele queria que ela fosse uma comunidade puramente masculina, sem a presença das mulheres. Sou contra essa atitude dele, mas entendo os seus motivos. Seus motivos precisam ser levados em conta. Ele tinha

INTUIÇÃO

consciência de que, com a presença das mulheres, o que aconteceria com o inconsciente dos homens? Era uma questão de psicologia, não de religião.

Sigmund Freud, Jung, Adler são apenas pigmeus perante Gautama Buda. Parece desumano impedir as mulheres, mas se você analisar a percepção dele, ficará surpreso; o homem tinha sólidos argumentos. O argumento não era a mulher; ele não estava realmente dizendo para manter as mulheres de fora. Ele dizia: "Eu sei que vocês não conseguem vencer o seu inconsciente." Na verdade, não era uma condenação das mulheres, era uma condenação dos discípulos. Ele estava dizendo que, ao permitir a entrada das mulheres, seria criada uma situação em que o inconsciente começaria a dominar a todos.

Ele tentou de todas as maneiras impedir que isso acontecesse. Ele disse aos seus monges que deviam caminhar olhando apenas um metro à frente dos pés, de modo a não ver o rosto das mulheres pelo caminho ou aonde quer que fossem; no máximo, eles poderiam vê-las à altura das pernas. Ele dizia aos seus monges:

— Não toquem nas mulheres, não falem com as mulheres.

Um dos seus discípulos era insistente e perguntou:

— Em algumas situações... por exemplo, uma mulher caiu na rua, doente ou morrendo... você quer que não falemos com ela, perguntemos aonde ela gostaria de ir? Você quer que não toquemos a mulher nem que a levemos para casa?

— Em raras situações como uma dessas — respondeu Buda — vocês podem, sim, tocá-la e falar com ela... mas prestem muita atenção: não se esqueçam nunca de que se trata de uma mulher.

Então, a insistência dele, "prestem muita atenção: não se esqueçam nunca", não era contra a mulher, mas contra o inconsciente. Se você prestar muita atenção ao fato, existe a possibilidade de que o seu inconsciente possa não ser capaz de penetrar o consciente e dominá-lo.

OS TRÊS DEGRAUS DE UMA ESCADA

Todas as religiões têm se posicionado contra a mulher — não que elas odeiem as mulheres, não; elas simplesmente tentam proteger os monges, os padres e os papas. É claro que eu não concordo com a metodologia delas, porque essa não é uma maneira de proteger; na verdade, isso torna você mais inflamável. Um monge que não tocou uma mulher, que não falou com uma mulher e que não faz a menor idéia da mulher, tem uma tendência maior a ser vítima do seu instinto do que um homem que convive com as mulheres, conversa com elas e fica mais à vontade entre elas.

Os monges e as freiras sempre estiveram *mais* à mercê do instinto. Se você separar o seu instinto completamente da satisfação, ele poderá se tornar tão poderoso — quase como uma droga — que poderá intoxicar você, poderá deixá-lo alucinado. E na Idade Média houve monges que confessaram diante do tribunal especial montado pelo papa. Era um tribunal superior, ao qual foram chamados todos, monges e freiras honestos, e levados a confessar diante da pergunta: "Você tem relações com demônios, com bruxas?" E milhares deles confessaram: "Sim, as bruxas vêm durante a noite, os demônios chegam à noite."

As paredes e fechaduras do mosteiro não eram suficientes para impedir a entrada deles, é claro; eles eram demônios e bruxas! Os religiosos descreviam exatamente a aparência das bruxas, como se pareciam com demônios, e como eram tentados sexualmente e eram incapazes de resistir. Essas freiras e monges foram queimados vivos de modo que se tornassem uma lição para os outros.

Mas ninguém se incomodou de olhar: nenhuma bruxa vem até você, mesmo que você mantenha a porta aberta. Nenhum demônio o procura. Por que esses demônios e bruxas procuravam apenas os católicos? Estranho! O que teriam os pobres católicos feito de errado?

A razão é simples. Eles reprimiam tanto o sexo que este se tornava algo efervescente dentro do seu inconsciente. E quando eles iam dor-

38 INTUIÇÃO

mir, os seus sonhos eram muito vivos, coloridos e realistas — isso dependia das privações que sofriam. Experimente jejuar por dois ou três dias e você vai ver: toda noite você terá um banquete nos sonhos. E à medida que o jejum prossegue e o deixa mais faminto, o seu banquete se torna cada vez mais delicioso, perfumado, colorido, realista. Existe a possibilidade de que, depois de vinte e um dias de jejum, você possa sonhar com o alimento com os olhos abertos, plenamente desperto. Não há mais necessidade de dormir; então o inconsciente começa a se infiltrar no consciente até mesmo enquanto você está desperto. Muitas das freiras e monges admitiam que aquilo não acontecia apenas durante a noite; durante o dia também os demônios e bruxas vinham visitá-los e fazer amor com eles. E eles eram incapazes de fazer alguma coisa, isso estava simplesmente além da sua capacidade.

Outras religiões fizeram a mesma coisa.

Meus esforços são justamente no sentido contrário de todas as religiões, porque eu posso ver o que elas fizeram. A intenção era boa, mas a sua compreensão não era suficientemente profunda. Eu quero que as mulheres e os homens convivam, tenham conhecimento dos seus corpos, das suas diferenças, polaridades, de modo que não haja necessidade de que o inconsciente carregue algo reprimido.

Uma vez que o inconsciente esteja completamente livre de repressão, o instinto adquire uma característica diferente. Ele se alia à inteligência. Quando o inconsciente não está mais reprimido, quando não existe um Muro de Berlim entre o consciente e o inconsciente — o muro pode ser retirado porque não existe repressão, portanto não há necessidade de manter o inconsciente escondido — então você pode entrar e sair do inconsciente com tanta facilidade como quando passa de um aposento para outro em casa.

Essa é a sua casa — Gurdjieff costumava usar essa metáfora da casa, que o homem é uma casa de três andares. O primeiro andar é o inconsciente, o segundo é o consciente e o terceiro é o superconsciente. Uma vez que a sua inteligência e o seu instinto não tenham conflitos, você se torna humano pela primeira vez; você não faz mais parte do reino animal. E para mim isso é o que é absolutamente necessário para alguém que queira conhecer a verdade, a vida, a existência, para quem queira saber aquilo que é.

Reprimindo nove décimos da sua mente, como você vai chegar a se conhecer? Você reprimiu tanta coisa de si mesmo num porão, onde não consegue chegar. Todas as pessoas religiosas têm vivido trêmulas de medo. De onde vem esse medo? O medo é do próprio inconsciente e dos instintos reprimidos, que batem à porta do consciente, dizendo: "Abra a porta, queremos entrar! Queremos nos realizar, queremos nos satisfazer." Quanto mais carentes eles estão, mais perigosos se tornam. Você está cercado por lobos famintos — cada instinto se torna um lobo faminto e essa é a tortura em que as assim chamadas pessoas religiosas têm vivido, cercadas por lobos famintos.

Quero que você seja amigo do seu inconsciente. Deixe a sua biologia se satisfazer até se saciar. Apenas tente ver o problema: se a sua biologia estiver completamente satisfeita, não existirá luta entre o consciente e o inconsciente. Você se tornará uma unidade integrada, pelo menos no que se refere à mente; a sua mente será um todo integral. Ela irá liberar para você uma imensa inteligência, porque a maior parte da sua inteligência está envolvida na repressão. Você está sentado sobre um vulcão, tentando impedir que o vulcão exploda numa erupção. O vulcão vai explodir — a sua força é muito pequena e não pode impedi-lo para sempre, ao contrário, quando ele explodir você será feito em tantos pedaços que juntá-los outra vez será impossível.

As inúmeras pessoas loucas em todo o mundo, nos seus asilos de loucos, hospitais... o que são elas? Quem são elas? O que houve de errado com elas? Elas foram despedaçadas e não se pode mais reconstituí-las. Não há possibilidade de reunir os pedaços, a menos que se consiga

INTUIÇÃO

satisfazer todos os instintos reprimidos delas. Mas quem estará lá para ao menos dizer isso? Porque eu tenho dito o mesmo ao longo de trinta e cinco anos, eu me tornei o homem mais conhecido do mundo.

Ainda outro dia eu vi, na revista alemã *Stern*, uma reportagem de capa de quinze páginas sobre a minha comunidade, e essa era apenas a primeira parte de uma série. A reportagem toda deveria ter cinco partes, em cinco edições consecutivas da revista. O título na página de abertura era: "A Terra do Sexo". Eu realmente gostei! E a coisa mais estranha é que, se você continuar lendo as quinze páginas, acabará ficando surpreso. Quem está vivendo num estado sexual? A equipe da revista *Stern*, os seus editores e os seus diretores, ou nós?

Na revista, vêem-se mulheres nuas — e elas não estavam simplesmente despidas, porque uma mulher totalmente nua não é tão fascinante. É preciso tornar a nudez dela ainda mais fascinante dando-lhe roupas sensuais, que por um lado expõem o corpo e por outro também o escondem. Então você pode brincar de esconde-esconde outra vez. Você começa sonhando a respeito de como a mulher pareceria por trás daquelas roupas. Ela pode não ser tão linda por trás daquelas roupas — na verdade, todos os corpos femininos são iguais e todos os corpos masculinos são iguais, depois que se apaga a luz e todo o colorido e as diferenças desaparecem. O escuro é assim um equalizador, tão comunista, que no escuro você é capaz de amar até mesmo a sua própria esposa.

A revista inteira estava recheada de sexo, mas *nós* é que estávamos na "terra do sexo". Até mesmo a revista *Playboy* escreveu contra mim — e fico imaginando como é estranho o mundo em que vivemos! Mas eu sei por que a *Stern* e a *Playboy*, ou outras revistas do gênero, que são de terceira classe e exploram a sexualidade das pessoas... elas são vendidas aos milhões. A *Stern* vende quase dois milhões de exemplares, e calcula-se que cada exemplar seja lido por pelo menos oito pessoas; isso significa dezesseis milhões de pessoas.

OS TRÊS DEGRAUS DE UMA ESCADA

Por que eles deveriam estar contra mim? E eles estiveram contra mim durante anos. A razão é que, se eu for bem-sucedido, então essas revistas terão de fechar as suas portas. Elas vivem à custa da repressão. É uma questão simples de lógica descobrir por que elas estão contra mim. Os padres, que são contra o sexo, são contra mim, e as pessoas que usam o sexo como objeto de exploração — *Playboy, Stern,* e existem milhares de revistas ao redor do mundo — também estão contra mim. Parece estranho, porque eles não são contra o papa; não há um único artigo contra o papa. A *Playboy* deveria ser contra o papa, que está sempre condenando o sexo. Mas não...

Existe uma lógica intrínseca: quanto mais o papa condena o sexo, mais ele reprime o sexo, mais a *Playboy* vende. Apenas na minha comunidade ninguém se interessa pela *Playboy* ou pela *Stern* — quem se importa? Se eu for bem-sucedido, então todas essas revistas pornográficas, toda a literatura e os filmes desse gênero, estarão simplesmente fadados a desaparecer. E existe um grande investimento por trás deles, então todos eles vão se opor a mim — e eles vão se opor a mim e me condenar em nome do sexo, como se eu estivesse disseminando a sexualidade.

Se alguém tem disseminado a sexualidade deve ser o Deus deles. Eu não tenho nada que ver com isso. Ele continua fazendo nascer crianças com os hormônios do sexo. Ele deveria parar com isso — ele deveria dar ouvidos ao papa! Mas essas revistas não estão contra Deus tampouco, porque ele lhes fornece todo o mercado. Os papas e os pornógrafos estão todos mancomunados numa profunda conspiração — e eles estão juntos contra mim porque eu estou simplesmente tentando acabar com o jogo.

Esses dois tipos de pessoas exploram a repressão; daí, é lógico ser contra mim de todas as maneiras — ambos estão contra mim. Ao menos a *Stern* devia não estar contra mim se eu tivesse criado uma terra do sexo; eles deveriam estar contentes e ser favoráveis. Mas não, eles estão absolutamente irados. Eles podem até nem ter consciência do motivo pelo qual estão com raiva de mim; eles podem estar fazendo isso de maneira absolutamente inconsciente, mas o inconsciente também tem as suas próprias razões.

Reprima alguma coisa e ela se torna valiosa. Reprima mais, e ela se torna mais valiosa. Não reprima e ela perde todo o valor.

Expresse-a e ela se evapora.

Eu posso dizer ao mundo que a minha comunidade é o único lugar em que o sexo não significa nada; ele não tem valor. Ninguém se incomoda com ele; ninguém sonha com ele e ninguém fantasia a respeito dele. Na verdade, as pessoas sempre escrevem para mim: "Osho, o que eu faço? A minha vida sexual está desaparecendo completamente."

Eu digo: "O que você faz? Deixe desaparecer. Você não precisa fazer nada. Esse é todo o nosso objetivo aqui: ela *deve* desaparecer! Não faça nenhum esforço para fazê-la desaparecer, mas quando ela estiver desaparecendo, por favor, não faça nenhum esforço para impedi-lo. Diga adeus a ela. É ótimo que ela esteja desaparecendo." Mas o problema é que as pessoas pensam que, quando o sexo está desaparecendo, talvez não reste mais nada, porque o sexo era tudo o que as excitava, era o seu êxtase e a sua alegria.

Não, realmente existem muito mais coisas à sua espera. Apenas deixe que o sexo desapareça de modo que a sua energia fique disponível para um tipo superior de excitação, um tipo superior de êxtase.

Quando o seu inconsciente e o seu consciente se encontrarem porque não há nada reprimido no inconsciente — e esse é o momento de encontro deles e da sua fusão —, nesse exato momento outra grande oportunidade se abrirá para você. Porque você não estará mais envolvido com o inferior, toda a sua energia estará disponível para o superior.

Você está no meio, a mente consciente. Mas porque o inconsciente existe, você permanece ocupado em reprimi-lo, você continua repri-

OS TRÊS DEGRAUS DE UMA ESCADA 43

mindo-o — não é uma questão de que uma vez que o tenha reprimido, você acabou com ele. Você tem de reprimi-lo constantemente, porque ele se manifesta o tempo todo sem parar.

É assim como bater uma bola. Você a atira e ela volta para você. Quanto mais forte você bater nela, maior será a força com que ela voltará para você. O mesmo acontece em relação aos instintos. Você os reprime e quanto mais energia dispensa para reprimi-los, mais energia eles vão ter na volta contra você. De onde eles tiram energia? É a sua energia. Mas quando você está completamente livre do inconsciente e dos envolvimentos dele, ele fica limpo e silencioso; então toda a sua energia fica disponível.

A energia tem um princípio fundamental: ela não pode permanecer estática, ela tem de se mover. O movimento é a sua natureza. Não se trata de algo que você ponha num lugar e que permaneça ali. Não, ela tem de se mover — ela é vida. Então, quando não existe motivo para se mover para baixo, só resta a ela um sentido para se mover — para cima. Não há mais para onde ir. Ela começa a atingir o seu superconsciente, e só os seus golpes no superconsciente são tão agradáveis e dão tanta alegria que todos os seus orgasmos sexuais de repente perdem a cor. Você não consegue imaginar isso, porque não se trata de uma diferença quantitativa de modo que eu possa lhe dizer: "é dez mil vezes maior em quantidade". A diferença é de *qualidade,* portanto não há como imaginar. Como compará-la ao seu orgasmo sexual? Mas essa é a única coisa na sua vida com a qual algo superior pode ser comparado.

Quando a sua energia começa a atingir o mundo superior, do qual você nem sequer tinha consciência até então, ocorre um constante banho de alegria. O orgasmo sexual é tão momentâneo que, no instante em que você sabe que ele ocorreu, ele já passou. Você só se lembra dele na memória; você realmente não entende quando ele ocorre. Por causa dessa instantaneidade, você se torna cada vez mais viciado nele, porque você se lembra de que aconteceu algo, de que aconteceu algo grandioso, então, "Vamos tentar de novo, vamos tentar de novo." Mas não há como...

Antes de acontecer... você sabe que ele vem vindo porque os sinos começam a soar na sua cabeça. É realmente um sino que começa a soar na sua cabeça: "Ele vem vindo!" Você sabe que ele vem vindo... você sabe que ele se foi. O sino parou, não está mais soando, e você fica parecendo um idiota! Entre o soar do sino e a interrupção, você fica parecendo um idiota. Talvez o homem se sinta mais envergonhado; é por isso que depois de fazer amor ele simplesmente vira para o lado e dorme. A mulher não fica tão envergonhada pela simples razão de que ela não é um parceiro assim tão ativo; o homem parece tolo porque ele é o parceiro ativo.

Só a energia tocando o seu nível superior da consciência, o superconsciente... basta o toque e ocorre um banho de alegria, que continua. Vagarosamente a energia continua atingindo e abre caminho para o centro da superconsciência. Você não precisa fazer nada: o seu trabalho terminou quando parou de reprimir e desimpediu o inconsciente. Então você não tem nada a fazer; então tudo o que tem de ser feito é feito pela sua energia. E quando você chega ao centro uma nova faculdade começa a funcionar dentro de você, e essa é a intuição.

No centro do inconsciente está o instinto.

No centro do consciente está o intelecto.

No centro do superconsciente está a intuição.

O instinto leva você a fazer coisas, força você a fazer coisas até mesmo contra a sua vontade. O intelecto ajuda você a encontrar meios se quiser fazer uma determinada coisa, ou encontrar meios se não quiser fazer uma determinada coisa. O trabalho do intelecto é encontrar um meio.

Se você quiser ir *com* o instinto, o intelecto encontrará uma maneira. Se você é uma pessoa assim chamada religiosa, uma pessoa pseudo-religiosa, e quiser ir *contra* o instinto, o intelecto encontrará um

OS TRÊS DEGRAUS DE UMA ESCADA

45

meio. Poderão ser maneiras ou meios estranhos, mas o intelecto está a seu serviço: o que você quiser ele fará. Ele não é a favor nem contra nada, ele simplesmente está a seu dispor.

Se um homem tem a mente sadia, ele irá usar o intelecto para ajudar o inconsciente a ser satisfeito. O quanto antes o inconsciente seja satisfeito melhor, de modo que você esteja livre dele. A satisfação significa a liberdade dele.

Se você é algum tipo de maluco — católico, protestante, de qualquer tipo, há todos os tipos de malucos disponíveis no mundo —, você pode escolher o tipo de maluco que quer ser, hinduísta, muçulmano, jainista, budista — todos os tipos de variedades estão disponíveis. Você não pode dizer: "A variedade que eu quero não está disponível" — você não pode dizer isso; em milhares de anos, o homem criou quase todos os tipos de variedades de malucos. Você pode escolher, você pode ter a sua escolha; mas qualquer um que escolha será a mesma coisa.

Ninguém lhe disse como usar o intelecto para satisfazer o seu inconsciente: a sua natureza, a sua biologia, a sua composição química. Todas elas são suas — o que importa se é a química, a biologia ou a fisiologia? Elas fazem parte de você e a natureza nunca dá nada sem razão. Satisfaça-a e a satisfação dela vai abrir caminho para o potencial superior.

Todas as pessoas religiosas estão presas à parte mais inferior do ser delas — é por isso que elas parecem tão tristes e tão culpadas. Elas não podem se alegrar. Jesus continua dizendo para essas pessoas: "Rejubilem-se", e por outro lado ele continua dizendo para elas: "Lembrem-se do inferno." Ele cria um dilema para as pessoas! Mostra-lhes o caminho do inferno — o caminho do inferno é satisfazer a sua natureza e o caminho do paraíso é ir contra a sua natureza.

Mas ir contra a natureza cria o inferno aqui na terra.

Eu quero criar o paraíso aqui, agora. Por que adiar algo tão bom?

46 INTUIÇÃO

As coisas que não merecem a sua atenção, você pode adiar — mas o paraíso? Eu não estou pronto para adiar o paraíso para amanhã ou para o próximo segundo. Você pode tê-lo aqui e agora; tudo o que precisa é de um inconsciente limpo, desimpedido. Com ele satisfeito, contente, a biologia se acomoda, a química se acomoda e dá a você toda a energia que estava envolvida nesses planos. A energia dispara para cima por si mesma e pára apenas no exato centro do seu superconsciente. E lá a intuição começa a funcionar.

O que é a intuição? A intuição é, num certo sentido, como o instinto; em outro sentido, absolutamente diferente do instinto; em certo sentido como o intelecto, em outros sentidos absolutamente contra o intelecto. Então você terá de entender, porque é a coisa mais sutil que existe em você.

A intuição é como o instinto, porque você não pode fazer nada quanto a ela. Ela faz parte da sua consciência, assim como o instinto faz parte do seu corpo. Você não pode fazer nada quanto ao seu instinto e não pode fazer nada quanto à sua intuição. Mas assim como você pode permitir que os seus instintos sejam satisfeitos, pode permitir e dar total liberdade para que a sua intuição seja satisfeita. E você ficará surpreso com os tipos de poderes que carrega dentro de si.

A intuição pode lhe dar respostas para as questões supremas — não verbalmente, mas existencialmente.

Você não precisa perguntar: "Isso é verdade?" — o instinto não vai ouvir, ele é surdo. O intelecto ouve, mas ele só pode filosofar; ele é cego, ele não pode ver. A intuição é uma *vidente,* ela tem olhos. Ela *vê* a verdade, não é uma questão de pensar a respeito.

O instinto e a intuição são ambos independentes de você. O instinto está na força da natureza, da natureza inconsciente, e a intuição está nas mãos do universo superconsciente. A consciência que envolve todo o universo, a consciência oceânica de que não passamos de peque-

OS TRÊS DEGRAUS DE UMA ESCADA

nas ilhas — ou melhor, icebergs, porque podemos nos fundir dentro desse oceano e nos unificar com ele.

Em certo sentido, a intuição é exatamente oposta ao instinto. O instinto sempre conduz você ao outro; a satisfação dele é sempre dependente de alguma outra coisa que não você. A intuição conduz você apenas para si mesmo. Ela não tem dependência, não tem necessidade do outro; daí a sua beleza, a sua liberdade e independência. A intuição é um estado exaltado de não necessitar de nada. Ela é tão cheia de si que não sobra espaço para mais nada.

Num certo sentido, a intuição é como o intelecto, porque ela é inteligência. O intelecto e a inteligência são semelhantes ao menos na aparência, mas apenas na aparência. A pessoa intelectual não é necessariamente inteligente, e a pessoa inteligente não é necessariamente intelectual. Você pode encontrar um fazendeiro tão inteligente que até mesmo um grande professor, um grande intelectual, vai parecer um pigmeu na frente dele.

Aconteceu na Rússia soviética, depois da revolução, de terem mudado a cidade de Petrogrado para fazer dela uma nova cidade em homenagem a Lênin, Leningrado. Na frente do enorme, bonito e antigo castelo de Petrogrado havia uma grande rocha, que os czares nunca pensaram em remover — não havia necessidade. Então vieram os carros e aquela rocha estava bloqueando a estrada, teria de ser removida.

Mas a rocha era tão bela que quiseram retirá-la e mantê-la como um memorial, então não quiseram destruí-la ou dinamitá-la. Mas todos os grandes engenheiros — tudo o que eles podiam pensar era dinamitá-la ou começar a cortá-la pedaço por pedaço, e depois voltar a reunir os pedaços. Mas Lênin disse: "Isso não vai dar certo — não será a mesma coisa. A rocha é tão bela, foi por isso que os czares a mantiveram logo à frente do palácio."

48 INTUIÇÃO

A essa altura aproximou-se um homem, um pobre homem com o seu jumento. Ele parou lá ouvindo toda a discussão; então deu uma risada e começou a seguir em frente. Lênin o chamou:

— Espere. Por que está rindo?

O homem disse:

— É uma coisa tão simples. Não se precisa fazer muita coisa: tudo o que vocês precisam fazer é cavar ao redor da rocha. Não precisam encostar na rocha; basta cavar ao redor dela e ela vai se acomodar cada vez mais fundo no buraco. Vocês não vão perturbar a rocha, a rocha vai continuar no mesmo lugar, mas não estará impedindo a passagem de ninguém. Não há necessidade de dinamitá-la nem de destruí-la.

Lênin disse aos seus engenheiros:

— Vocês são grandes engenheiros e arquitetos, mas o que esse pobre camarada está dizendo é mais inteligente.

E assim foi feito. A rocha foi salva e a estrada foi salva, mas a idéia veio de um homem pobre que não era ninguém.

Eu tenho observado, conhecendo milhares de pessoas, que a maior parte dos intelectuais não são inteligentes porque eles não precisam ser inteligentes. O seu intelecto, o seu conhecimento é suficiente. Mas um homem que não tem conhecimento, não tem intelecto nem educação, tem de buscar a inteligência dentro de si mesmo; ele não pode olhar para fora. E porque ele tem de depender da inteligência, a inteligência começa a crescer.

Assim, a intuição tem algo semelhante ao intelecto mas não é intelectual. Ela é inteligência.

O funcionamento do intelecto e o da inteligência são totalmente diferentes. O intelecto funciona por meio de etapas, passo a passo. Ele tem um procedimento, uma metodologia. Se você está fazendo uma pergunta sobre matemática, então há etapas a serem seguidas.

Na Índia, há uma mulher, Shakuntala, que esteve em quase todas as universidades ao redor do mundo, exibindo a sua intuição. Ela não é

OS TRÊS DEGRAUS DE UMA ESCADA 49

uma matemática, não é nem mesmo muito instruída — ela é formada apenas no colegial. Até mesmo quando Albert Einstein era vivo, ela deu uma demonstração para ele. E a demonstração dela foi estranha. Sentou-se com um giz na mão, na frente do quadro-negro; as pessoas faziam-lhe qualquer tipo de pergunta sobre matemática ou aritmética, e mal haviam terminado a pergunta ela já começara a escrever a resposta.

Albert Einstein deu um certificado para ela — ela me mostrou o certificado quando eu estive em Madras, onde ela mora. Ela me mostrou todos os seus certificados, e o de Albert Einstein dizia: "Fiz a essa mulher uma pergunta que levei três horas para responder porque tive de seguir um método; não posso passar direto da pergunta à resposta. Eu sei que ninguém pode fazer isso em menos tempo do que eu, e esse tempo é de três horas. Outros podem levar até seis horas ou mais, mas eu posso fazê-lo em três horas, porque já o fiz antes. Mas todo o procedimento tem de ser seguido. Se você deixar de cumprir uma única etapa..." Os números eram tão grandes que ela precisou de todo o quadro-negro para escrever a resposta. E antes mesmo que ele tivesse terminado a pergunta, ela começou a escrever a resposta.

Einstein ficou impressionado, absolutamente impressionado, porque era impossível. Ele perguntou:

— Como você consegue fazer isso?

Ela respondeu:

— Não sei como consigo fazer isso... simplesmente acontece. Você me pergunta e os números começam a aparecer diante dos meus olhos, de algum lugar lá de dentro. Eu vejo, 1, 2, 3, e apenas continuo a escrever.

Essa mulher nasceu com a intuição funcionando. Mas eu senti muita pena dela porque ela se tornou apenas um objeto de exposição. Ninguém se preocupou com o fato de uma mulher que nasceu com a intuição funcionando poder ser tornar iluminada muito facilmente. Ela

INTUIÇÃO

está simplesmente parada no limite; um passo e ela se torna o máximo em consciência. Mas ela não está consciente, porque isso é apenas uma extravagância da natureza.

Havia um rapaz, Shankaran, que puxava um riquixá na cidade, e um professor de matemática, um inglês, que costumava tomar o riquixá do rapaz para a universidade. Uma ou duas vezes aconteceu de o professor estar pensando sobre um problema e o rapaz simplesmente olhar para ele e dizer: "A resposta é esta." O professor não havia falado — ele estava apenas pensando — e o rapaz puxando o riquixá, mas dissera: "A resposta é esta."

O professor ia para a universidade, resolvia todo o problema e ficava surpreso ao descobrir que a resposta era aquela mesmo. Quando aquilo aconteceu duas ou três vezes, ele perguntou ao rapaz:

— Como você faz isso?

O rapaz respondeu:

— Eu não faço nada. Apenas sinto você atrás de mim, preocupado, e alguns números começam a aparecer. Eu não tenho muita instrução, mas os números eu consigo entender. E vejo tantos números na sua mente, logo atrás de mim — uma linha, uma fileira — e então de repente alguns números aparecem na minha mente, então eu lhe digo que essa é a resposta. Eu não sei como acontece.

Shankaran foi enviado a Oxford pelo professor, porque ele era ainda mais adiantado que aquela mulher Shakuntala. Era preciso fazer uma pergunta a ela, e então ela escrevia a resposta; com Shankaran bastava apenas visualizar a pergunta na mente e ele escrevia a resposta. A intuição dele funcionava mais plenamente, ele via tanto a resposta quanto a pergunta — ele podia ler a mente das pessoas. E ele era ainda menos instruído, um homem tão pobre que puxava um riquixá. Ele se tornou um fenômeno na história da matemática porque muitas perguntas que permaneciam sem solução havia séculos, ele resolveu — ainda que não

OS TRÊS DEGRAUS DE UMA ESCADA

soubesse dizer como. Ele dava a resposta — mas como julgar se a resposta estava certa ou errada? Levou muitos anos. Quando foi desenvolvida uma matemática superior, então puderam resolver o problema. Shankaran morreu, mas as suas respostas estavam certas.

A intuição funciona num salto quântico.

Ela não tem um procedimento metodológico, simplesmente vê coisas.

Ela tem olhos para ver.

Ela vê coisas em que você nunca nem mesmo pensou como coisas — por exemplo, o amor. Você nunca pensou no amor como uma coisa. Mas um homem de intuição pode ver se existe amor em você ou não, se existe confiança em você ou não, se existe dúvida em você ou não. Ele pode ver tudo isso como se fossem coisas.

Do meu ponto de vista, a intuição ocupa o lugar mais elevado. E é a esse local que estou tentando alçar você.

Um inconsciente não desobstruído prende você. Desobstrua-o; e a maneira de desobstruí-lo é satisfazendo-o, deixando-o tão satisfeito que ele lhe diga: "Por favor, pare! É mais do que eu precisava!" Só então o deixe. E com isso, o seu intelecto estará cheio daquele fluxo de energia revigorado que ele converte em inteligência. Então a energia continua aumentando e abre as portas da intuição. Então você poderá ver coisas que não são visíveis aos seus olhos físicos, coisas que não são nem ao menos coisas.

O amor não é uma coisa, a verdade não é uma coisa, a confiança não é uma coisa, mas todos são realidades — muito mais reais do que as suas coisas. Mas eles são realidades apenas para a intuição, eles são existenciais. E uma vez que a sua intuição comece a funcionar, pela primeira vez você é realmente humano.

Com o inconsciente você é animal. Com o consciente você não é mais animal. Com o superconsciente você é humano.

Eu adoro citar um místico baul, Chandidas, porque esse homem, numa declaração simples, condensou toda a minha visão: *Sabar upar manus satya; tahar upar nahin.* "Acima de tudo está a verdade do homem, e acima dessa não há nada."

Esse homem, Chandidas, deve ter sido um homem autenticamente religioso. Ele está negando Deus, ele está negando tudo acima do florescimento humano. *Sabar upar* — "acima de todos, acima de tudo". *Manus satya* — "a verdade do homem". *Tahar upar nahin* — "e além disso eu viajei muito — não há nada".

Depois de alcançar o seu potencial humano em seu total florescimento, você terá chegado em casa.

PARTE II

Barreiras ao Saber

*Saber significa ficar em silêncio, completamente
  em silêncio,
então você pode ouvir a voz baixa e calma do
  seu íntimo.
Saber significa deixar a mente de lado.
Quando você está absolutamente calmo,
sem se mover, nada se agita em você,
as portas se abrem.
Você faz parte dessa existência misteriosa.
Você a conhece tornando-se parte dela,
tornando-se um participante dela.
Isso é saber.*

CAPÍTULO 4

CONHECIMENTO

ual é a diferença entre conhecimento e saber? Não existe diferença no dicionário, mas na vida existe uma enorme diferença. O conhecimento é uma teoria, o saber é uma experiência. Saber significa você abrir os seus olhos e ver, conhecimento significa que alguém abriu os olhos, viu e comenta a respeito, e você simplesmente continua reunindo as informações. O conhecimento é possível até mesmo se você for cego. O conhecimento é possível... sem olhos você pode aprender muitas coisas sobre a luz, mas saber não é possível se você for cego. Saber é possível apenas se os seus olhos estiverem saudáveis, sadios, se você puder ver. Saber é autenticamente uma experiência sua, o conhecimento é postiço, falso. O conhecimento é uma praga, uma calamidade, um câncer.

É por meio do conhecimento que o homem se torna separado do todo — o conhecimento cria a distância. Você encontra uma flor silvestre na montanha e não sabe o que ela é; a sua mente não tem nada a dizer sobre ela, a mente é silenciosa. Você observa a flor, vê a flor, mas nenhum conhecimento se manifesta em você — existe a admiração, existe o mistério. A flor está ali, você está ali. Pela admiração, vocês não estão separados, vocês estão ligados. Mas se você souber que aquela flor é uma rosa, um cravo ou outra qualquer, esse próprio conhecimento separa você. A flor está ali, você está aqui, mas não há uma ligação — você "conhece". O conhecimento cria uma distância.

Quando mais você conhece, maior a distância; quanto menos você conhece, menor a distância. E se você estiver num momento de não conhecer, não existe distância; vocês estão próximos.

Você se apaixona por uma mulher ou por um homem — no dia em que você se apaixona, não existe distância. Existe apenas admiração, uma emoção, uma excitação, um êxtase — mas não conhecimento. Você não sabe quem é aquela pessoa. Sem o conhecimento não existe nada para separá-los; daí a beleza daqueles primeiros momentos de amor. Depois que você viveu junto com a pessoa — por vinte e quatro horas apenas — o conhecimento se formou. Então você tem algumas idéias sobre a pessoa; você sabe quem ela é, existe uma imagem. Vinte e quatro horas criaram um passado; aquelas vinte e quatro horas deixaram marcas na mente. Você observa a mesma pessoa e não há mais o mesmo mistério. Você está descendo a montanha, aquele pico ficou para trás.

Entender isso é entender muito. Entender que o conhecimento separa, o conhecimento produz uma distância, é entender o verdadeiro segredo da meditação.

A meditação é um estado de não conhecer. A meditação é espaço puro, não perturbado pelo conhecimento. Sim, a história bíblica é verdadeira — aquele homem caiu por causa do conhecimento, ao comer o fruto da árvore do conhecimento. Nenhuma outra escritura do mundo ultrapassa essa. Essa parábola é a última palavra; nenhuma outra parábola atingiu um ponto mais alto do que essa compreensão. Parece tão ilógico que o homem tenha caído pelo conhecimento. Parece ilógico porque a lógica faz parte do conhecimento! A lógica é tudo que sustenta o conhecimento — parece ilógico porque a lógica é a causa profunda da queda do homem.

CONHECIMENTO

Um homem que seja absolutamente lógico — absolutamente razoável, sempre sensato, que nunca permite nada ilógico na sua vida — é um louco. A sanidade mental precisa ser equilibrada pela insanidade; a lógica precisa ser equilibrada pela ilógica. Os opostos se tocam e se equilibram. Um homem que seja apenas racional é irracional — ele perde muito. Na verdade, ele continua perdendo tudo o que é bonito e tudo o que é verdadeiro. Ele coleta coisas triviais, a sua vida é uma vida mundana. Ele é um homem mundano.

Essa parábola bíblica é de uma compreensão imensa. Por que terá o homem caído pelo conhecimento? Porque o conhecimento distancia, porque o conhecimento cria um "eu e tu", porque o conhecimento cria um sujeito e um objeto, o conhecedor e o conhecido, o observador e o observado. O conhecimento é basicamente esquizofrênico; ele cria uma separação e então não há maneira de unir ou ligar as partes.

É por isso que quanto mais o homem torna-se culto, menos ele é religioso. Quanto mais instruído um homem, menor a possibilidade de ele se aproximar do todo. Jesus está certo quando diz: "Apenas as crianças serão capazes de entrar no meu reino." Apenas as crianças... qual é a característica que uma criança tem e você perdeu? A criança tem a característica do não-conhecimento, a inocência. Ela olha com assombro, admiração, os seus olhos são absolutamente limpos, puros. Ela olha fundo mas não tem preconceitos, não faz julgamentos, não tem idéias *a priori*. Ela não projeta; daí ela vir a saber aquilo que é. A criança conhece a verdade, você conhece apenas a realidade mundana. A realidade é essa que você criou ao seu redor ao projetar, desejar, pensar. A realidade é a sua interpretação da verdade.

A verdade é simplesmente aquilo que é; a realidade é o que você veio a entender — é a sua idéia da verdade. A realidade consiste de coisas, todas separadas. A verdade consiste de apenas uma energia cósmica. A verdade consiste de unidade, a realidade consiste de quantidade. A realidade é uma multidão, a verdade é integração.

J. Krishnamurti disse: "Negar é silenciar." Negar o quê? Negar o conhecimento, negar a mente, negar essa constante ocupação do seu interior... criar um espaço desocupado. Quando você está desocupado, está sintonizado com o todo. Quando está ocupado, você saiu da sintonia. Daí, sempre que acontece de você poder manter um momento de silêncio, existe uma imensa alegria. Nesse momento, a vida tem significância, nesse momento a vida tem uma grandeza além das palavras. Nesse momento a vida é uma dança. Nesse momento, se até mesmo a morte vier, ela será uma dança e uma celebração, porque esse momento não conhece nada além da alegria. Esse momento é alegre, é feliz.

O conhecimento tem de ser negado — mas não porque estou dizendo isso, ou porque J. Krishnamurti o disse, ou porque Gautama Buda disse. Se você nega porque estou dizendo, então você vai negar o seu conhecimento e tudo o que eu estou dizendo irá se tornar o seu conhecimento no lugar disso; você vai substituir isso. Então, tudo o que eu disser se tornará o seu conhecimento e você vai começar a se apegar a isso. Você abre mão dos seus antigos ídolos e os substitui pelos novos, mas é o mesmo jogo praticado com palavras novas, idéias novas, pensamentos novos.

Então, como negar o conhecimento? Não com outro conhecimento. Apenas entender o fato de que o conhecimento cria uma distância — apenas entender esse fato intensamente, totalmente — é suficiente. Não que você tenha de repor esse conhecimento com outra coisa.

Essa intensidade é como o fogo, essa intensidade reduzirá o seu conhecimento a cinzas. Essa intensidade é suficiente. Essa intensidade é conhecida como compreensão. A compreensão queimará o seu conhecimento e ele não será substituído por outro conhecimento. Então fica o vazio, *shunyata*. Então resta a nulidade, porque então não existe conteúdo: existe a verdade não perturbada, não distorcida.

Você tem de ver o que estou dizendo; não é para você aprender o que estou dizendo. Atenção, ouça-me, não comece a reunir conheci-

CONHECIMENTO

mento. Atenção, não comece a acumular. Ouvir-me deve ser uma experiência de percepção. Você deve ouvir com intensidade, com totalidade, com o máximo de compreensão que lhe for possível. Nessa própria compreensão você entenderá a questão e essa própria visualização é transformação. Não que você tenha de fazer algo mais depois disso; a visualização em si provoca a mutação.

Se for necessário fazer algum esforço, isso simplesmente mostra o que você deixou de entender. Se você amanhã me perguntar: "Eu entendi que aquele conhecimento é uma maldição, que aquele conhecimento produz distância. Bem, como abro mão dele?" — então você não entendeu. Se o "como" aparecer, então você não entendeu. O "como" não pode aparecer, porque o "como" é pedir mais conhecimento. O "como" é pedir métodos, técnicas, o que deve ser feito.

A percepção é suficiente; ela não precisa ser ajudada por nenhum esforço adicional. O fogo dela é mais do que suficiente para queimar todo o conhecimento que você carrega interiormente. Apenas entenda a questão.

Ouça o que estou dizendo, me acompanhe. Ouça o que estou dizendo, segure a minha mão e avance para os espaços que estou tentando ajudar você a avançar, e entenda o que estou dizendo. Não questione — não diga sim, não diga não; não concorde, não discorde. Apenas me acompanhe nesse momento — e de repente a percepção acontece. Se você estiver ouvindo com atenção... e com atenção não quero dizer concentração; com atenção estou apenas querendo dizer ouvir com compreensão, não com a mente insensível; você vai ouvir com inteligência, com vivacidade, com abertura. Você está aqui, agora, comigo — é isso o que eu quero dizer com atenção. Você não está em nenhum outro lugar. Não está comparando mentalmente o que estou dizendo com os seus antigos pensamentos. Você não está comparando nada, não está julgando. Você não está julgando interiormente, dentro de você, se o que estou dizendo é certo ou não, ou até que ponto é certo.

INTUIÇÃO

Ainda outro dia eu estava conversando com um buscador. Ele tinha a característica de um buscador, mas estava carregado de conhecimento. Enquanto eu falava com ele, os olhos dele encheram-se de lágrimas. O coração dele estava apenas se abrindo e naquele exato instante a mente chegou e destruiu toda a beleza do momento. Ele estava apenas seguindo o coração e se abrindo, mas imediatamente a mente apareceu. Aquelas lágrimas que estavam a ponto de correr desapareceram. Os olhos dele ficaram secos. O que havia acontecido? — eu disse alguma coisa com que ele não podia concordar.

Ele estava concordando comigo, até certo ponto. Então, eu disse alguma coisa que ia contra os antecedentes judaicos dele, que iam contra a Cabala, e imediatamente toda a energia mudou. Ele disse:

— Está tudo certo. Tudo o que você diz está certo, mas essa coisa aí... isso de Deus não ter sentido, de que a vida existe sem um propósito... com isso eu não posso concordar. Porque a Cabala diz exatamente o contrário: que a vida tem um sentido, que Deus tem sentido, que ele está nos guiando para um determinado destino, que existe um destino.

Pode ser que ele nem ao menos tenha reparado — que ele deixou de entender naquele momento porque ocorreu-lhe a comparação. O que a Cabala tem que ver comigo? Quando você estiver comigo, afaste todo o seu conhecimento sobre a Cabala, a Yoga, o Tantra, sobre isso e aquilo. Quando você estiver comigo, esteja comigo. E não estou dizendo que você deva concordar comigo, lembre-se — não se trata de uma questão de concordar ou discordar.

Quando você vê uma rosa, você concorda com ela ou discorda dela? Quando você vê o sol nascer, você concorda ou discorda? Quando você vê a lua no céu noturno, você simplesmente a vê! Quer você a veja, quer não veja, não se trata de uma questão de concordar ou discordar.

Não estou tentando convencer você de nada. Não estou tentando converter você a uma determinada teoria, filosofia, dogma, a alguma

CONHECIMENTO

igreja, não. Estou simplesmente compartilhando o que aconteceu comigo e nesse próprio compartilhar, se você participar, pode acontecer o mesmo com você também. É contagioso.

A compreensão transforma.

Quando estou dizendo que o conhecimento é uma maldição, você pode concordar ou discordar — e você não entendeu! Você deve apenas ouvir, apenas entender, entrar no processo inteiro do conhecimento. Você pode ver como o conhecimento produz uma distância, como o conhecimento se torna uma barreira. Como o conhecimento se interpõe, como o conhecimento aumenta e, na mesma medida, também a distância aumenta. Como a inocência se perde por intermédio do conhecimento, como a admiração se destrói, é mutilada, assassinada pelo conhecimento, como a vida se torna uma coisa insípida e aborrecida pelo conhecimento. O mistério se perde. O mistério desaparece porque você começa a ter a idéia de que conhece. Quando você conhece, como pode haver mistério? O mistério é possível apenas quando você não conhece.

E lembre-se, o homem não aprendeu nada! Tudo o que acumulamos é apenas lixo, uma bobagem. O que é definitivo, supremo, eterno permanece além do nosso alcance. O que conseguimos reunir são apenas fatos, a verdade permanece intocada pelo nosso esforço. E essa é a experiência não só de Buda, Krishna, Krishnamurti e Ramana; essa é a experiência até mesmo de Edison, Newton, Albert Einstein. Essa é a experiência de poetas, pintores, dançarinos. Todas as grandes inteligências do mundo — sejam elas de místicos, de poetas, de cientistas — estão absolutamente de acordo em apenas uma coisa: que quanto mais conhecemos, mais entendemos que a vida é um mistério absoluto. O nosso conhecimento não destrói esse mistério.

Apenas as pessoas estúpidas pensam que porque elas conhecem um pouquinho, então não existe mais mistério na vida. Apenas a mente medíocre se torna tão apegada ao conhecimento; a mente inteligente per-

62   INTUIÇÃO

manece acima do conhecimento. Ela usa o conhecimento, com certeza o usa — ele é útil, é utilitário — mas sabe perfeitamente bem que tudo o que é verdade está oculto, permanece oculto. Podemos continuar conhecendo, conhecendo, mas o mistério permanece inexaurível.

Ouça com atenção, com compreensão, plenamente. E na própria visão você vai entender alguma coisa. E isso que entender vai mudar você — e não pergunte como. É esse o significado quando Krishnamurti diz: "Negar é silenciar." A compreensão nega. E quando algo é negado, nada é colocado em seu lugar. Algo foi destruído e nada foi colocado em seu lugar. Existe o silêncio, porque existe espaço. Existe silêncio, porque o antigo foi jogado fora e o novo não chegou. Esse silêncio, Buda chama de *shunyata*. Esse silêncio é vazio, nada. E apenas esse nada age no universo da verdade.

O pensamento não pode agir lá. O pensamento trabalha apenas no mundo das coisas, porque pensamento é também uma coisa — sutil, mas também é algo material. É por isso que o pensamento pode ser registrado, é por isso que o pensamento pode ser substituído, transmitido. Eu posso lançar um pensamento a você; e você pode retê-lo, pode tê-lo para si. Ele pode ser tido e dado, é transferível porque é uma coisa. Ele é um fenômeno material.

O vazio não pode ser dado, o vazio não pode ser lançado a você. Você pode participar dele, pode mover-se nele, mas ninguém pode dá-lo a você. Ele é intransferível. E apenas o vazio atua no mundo da verdade.

A verdade é conhecida apenas quando a mente não é. Para conhecer a verdade, a mente tem de cessar; ela tem de parar de funcionar. Ela tem de ficar quieta, parada, imóvel.

O pensamento não pode ocorrer na verdade, mas a verdade pode atuar através dos pensamentos. Você não pode se apreender a verdade pelo pensamento, mas quando tiver apreendido a verdade então poderá usar o pensamento a serviço dela. É o que estou fazendo, é o que Buda fez, é

CONHECIMENTO

o que todos os mestres fizeram. O que estou dizendo é um pensamento, mas por trás desse pensamento está o vazio. Esse vazio não foi produzido pelo pensamento, esse vazio está além do pensamento. O pensamento não pode tocá-lo, o pensamento não pode nem sequer olhá-lo.

Você já observou um fenômeno: que você não pode pensar sobre o vazio, você não pode fazer do vazio um pensamento? Você não pode pensar nele, ele é impensável. Se você puder pensar nele, ele não será mais o vazio. O pensamento tem de sair para o vazio aparecer; eles nunca se encontram. Depois que o vazio veio, ele pode usar todos os tipos de instrumentos para se expressar.

A compreensão é um estado de não-pensamento. Sempre que você vê alguma coisa, você sempre vê quando não existe pensamento. Aqui também, ouvindo-me, estando comigo, às vezes você *vê* — mas esses momentos são lacunas, intervalos. Um pensamento se foi, outro não veio, e ocorre uma lacuna; e nessa lacuna algo se manifesta, algo começa a vibrar. É como alguém tocando um tambor — o tambor está vazio por dentro; é por isso que ele pode ser tocado. Esse vazio vibra. Esse belo som que surge é produzido a partir do vazio. Quando você *é,* sem um pensamento, então algo é possível, imediatamente possível. Então você pode entender o que eu estou dizendo. Então não será apenas uma palavra ouvida, então ela se tornará uma intuição, uma revelação, uma visão. Você a entendeu, você a compartilhou comigo.

A compreensão é um estado de não pensar, não-pensamento. É uma lacuna, um intervalo no processo do pensamento, e nessa lacuna está o vislumbre, a verdade.

A palavra inglesa *empty* (vazio) deriva de uma raiz que significa "de folga", desocupado. É uma palavra bonita se você for até a raiz. A raiz é muito fecunda: ela significa de folga, desocupado. Sempre que você estiver desocupado, de folga, você estará vazio. E lembre-se, o provérbio que diz que a mente vazia é um instrumento do diabo é simplesmente um absurdo. Exatamente o oposto da verdade: a mente ocupada é um instrumento do diabo! A mente vazia é um instrumento de Deus, não do diabo. Mas você tem de entender o que eu quero dizer com "vazio" — de folga, relaxado, não-tenso, sem movimento, sem desejar, sem ir a lugar nenhum, apenas ficando aqui, inteiramente aqui. Uma mente vazia é uma presença pura. E tudo é possível nessa presença pura, porque toda a existência deriva da presença pura.

Essas árvores crescem a partir dessa presença pura, essas estrelas nascem dessa presença pura; nós estamos aqui — todos os budas saíram dessa presença pura. Nessa presença pura você está em Deus, você *é* Deus. Ocupado, você cai; ocupado, você tem de ser expelido do Jardim do Éden. Desocupado, você está de volta ao Jardim; desocupado, você está de volta ao lar.

Quando a mente não está ocupada com a realidade — com as coisas, com os pensamentos — então existe aquilo que é. E aquilo que é, é a verdade. Apenas no vazio existe uma reunião, uma fusão. Apenas no vazio você se abre para a verdade e a verdade entra em você. Apenas no vazio você se torna fecundo com a verdade.

Existem três estados da mente. O primeiro é o do conteúdo e da consciência. Você sempre tem conteúdos na mente — um pensamento vindo, um desejo surgindo, raiva, cobiça, ambição. Você sempre tem algum conteúdo na mente; a mente nunca está desocupada. O tráfego continua, dia após dia. Quando você está desperto ele está lá, quando você está dormindo ele está lá. Quando desperto você o chama de pensamento, quando está dormindo você o chama de sonho — é o mesmo processo. Sonhar é um pouco mais primitivo, só isso — porque nesse caso o pensamento se dá por imagens. Ele não usa conceitos, usa imagens. É mais primitivo; assim como as crianças pequenas pensam por meio de imagens. Assim, os livros infantis precisam conter imagens grandes, coloridas, porque a mente infantil pensa por meio de imagens.

CONHECIMENTO

Por meio de imagens as crianças aprendem as palavras. Pouco a pouco, aquelas imagens tornam-se cada vez menores, e então desaparecem.

O homem primitivo também pensava por imagens. As línguas mais antigas eram línguas pictóricas. O chinês é uma língua pictórica: o chinês não tem alfabeto. É a língua mais antiga. À noite, você volta a se tornar primitivo, esquece a sua sofisticação diurna e começa a pensar por imagens — mas é a mesma coisa.

E a compreensão psicanalítica é valiosa — uma vez que ela entende os seus sonhos. Então existe mais verdade, porque você é mais primitivo; você não está tentando enganar ninguém, você é mais autêntico. Durante o dia você tem uma personalidade ao seu redor que o esconde — camadas sobre camadas de personalidade. É muito difícil descobrir o homem verdadeiro. Você tem de cavar fundo, e isso dói, e o homem resiste. Mas durante a noite, assim que você põe as suas roupas de lado, também está pondo a sua personalidade de lado. Ela não é necessária porque você não vai se comunicar com ninguém, você estará sozinho na sua cama. E você não estará no mundo, estará absolutamente no seu mundo particular. Não há necessidade de se esconder nem necessidade de fingir. É por isso que o psicanalista tenta entender os seus sonhos, porque eles mostram muito mais claramente quem você é. Mas é o mesmo jogo praticado em diferentes linguagens; o jogo não é diferente. Esse é o estado comum da mente: mente e conteúdo, consciência mais conteúdo.

O segundo estado da mente é a consciência sem conteúdo; é o que é a meditação. Você está inteiramente desperto, e existe uma lacuna, um intervalo. Não se encontra nenhum pensamento, não existe pensamento diante de você. Você não está dormindo, você está acordado — mas não existem pensamentos. Isso é meditação. O primeiro estado é chamado mente, o segundo estado é chamado meditação.

E então existe o terceiro estado. Quando o conteúdo desapareceu, o objeto desapareceu, o sujeito não pode permanecer por muito tempo

INTUIÇÃO

— porque eles existem juntos. Eles produziram um ao outro. Quando o sujeito está sozinho, ele só pode existir um pouco mais, apenas com o impulso do passado. Sem o conteúdo, a consciência não pode existir por muito tempo; ela não será necessária, porque a consciência é sempre a consciência *sobre* alguma coisa. Quando você diz "consciente" pode-se perguntar: "de quê?" Você diz: "Estou consciente de..." Esse objeto é necessário, é uma necessidade para a existência do sujeito. Se o objeto desaparecer, logo o sujeito vai desaparecer também. Primeiro vai o conteúdo, depois a consciência desaparece.

Então o terceiro estado é chamado *samadhi* — sem conteúdo, sem consciência. Mas lembre-se de que essa ausência de conteúdo e de consciência não é um estado de inconsciência. É um estado de supercons-ciência, de consciência transcendental. A consciência então é apenas consciente de si mesma. A consciência se voltou para si mesma; o círculo está completo. Você tem de voltar para casa. Esse é o terceiro estado, *samadhi;* e esse terceiro estado é o que Buda chama de *shunyata.*

Primeiro abandone o conteúdo — você se torna vazio pela metade. Depois abandone a consciência — você se torna inteiramente vazio. E esse vazio por completo é a coisa mais linda, a maior bênção que pode lhe acontecer.

CAPÍTULO 5

INTELECTO

Não sou absolutamente contra o intelecto. Ele tem os seus usos — mas eles são muito limitados, e você tem de entender as suas limitações. Se trabalha como cientista, você tem de usar o intelecto. Ele é um bom mecanismo, mas é bom apenas se permanecer um escravo e não se tornar o senhor. Se ele se tornar o senhor e dominar você, então ele será perigoso. A mente como um escravo da consciência é um servo admirável; a mente como o senhor da consciência é um senhor muito perigoso.

A questão toda é de ênfase. Eu não sou absolutamente contra o intelecto — eu uso o intelecto também, como posso ser contra ele? Agora mesmo, falando com você, estou usando-o. Mas eu sou o senhor; ele não é o meu senhor. Se eu quiser usá-lo, eu o uso. Se eu não quiser usá-lo, ele não terá poder sobre mim. Mas o seu intelecto, a sua mente, o seu processo intelectual continua, quer você queira, quer não. Ele não se incomoda com você — como se você não fosse ninguém — ele continua seguindo em frente; até mesmo quando você está dormindo ele continua trabalhando. Ele não ouve você de maneira nenhuma. Ele permaneceu no poder por tanto tempo que se esqueceu completamente de que é apenas um servo.

Quando sai para uma caminhada, você usa as suas pernas. Mas quando você está sentado não há necessidade de continuar movendo as pernas. As pessoas me perguntam: "Osho, durante duas horas sem parar você continua falando para nós da sua cadeira, na mesma posição. Você não moveu as pernas nem uma vez." Por que eu deveria movê-las? Não estou andando! Mas eu conheço você — mesmo quando está sentado na sua cadeira você não está realmente sentado. Você está movendo as suas pernas, mudando de posição, de postura, fazendo mil e uma coisas, virando-se e mexendo-se, numa grande inquietação. O mesmo se aplica à sua mente.

Se estou falando com você, estou usando a mente. No momento em que paro de falar, a minha mente também pára, imediatamente! Se não estou falando com você, a minha mente não tem necessidade de continuar trabalhando, ela simplesmente fica em silêncio. É assim que deveria ser — deveria ser natural. Quando estou dormindo eu não sonho; não há necessidade. Você sonha apenas porque restou muito trabalho a ser feito durante o dia, o qual a mente tem de fazer. É trabalho além do horário; você não conseguiu acabá-lo durante o dia.

E como você pode concluir tudo? Você faz mil e uma coisas ao mesmo tempo. Nada nunca está terminado; tudo permanece incompleto — e permanece incompleto para sempre. Você vai morrer, mas nada estará concluído. Nem mesmo num único sentido o seu trabalho estará concluído, porque você está correndo em todas as direções. Você se partiu em muitos fragmentos, não está integrado. A mente o arrasta para um lado, o coração o arrasta para outro, o corpo quer que você vá para outra direção, e você está sempre sem saber — a quem ouvir? E a mente também não é uma, você tem muitas mentes — você é multipsíquico, há uma porção de mentes em você. Não existe unidade, nem harmonia. Você não é uma orquestra — nada está afinado. Tudo segue o próprio ritmo; ninguém ouve ninguém — você simplesmente produz ruídos, não música.

INTELECTO

O intelecto é bom se funciona como um servo do todo. Nada é ruim se está no lugar certo, e tudo está errado se estiver no lugar errado. A sua cabeça está perfeitamente bem se estiver sobre os seus ombros. Se estiver em outro lugar, então estará errada.

Para trabalhar como cientista, o intelecto é necessário. Para trabalhar no mercado, o intelecto é necessário. Para se comunicar por meio das palavras, para falar às pessoas, o intelecto é necessário. Mas ele tem um uso muito limitado. Existe uma grande quantidade de condições em que o intelecto não é nem um pouco necessário. E quando não é necessário ele continua funcionando também; esse é o problema. Um mediador usa o intelecto, mas usa também a sua intuição — ele sabe que as funções de ambos são diferentes. Ele usa a cabeça e usa também o coração.

Em Calcutá, na Índia, eu costumava me hospedar na casa de um juiz da Suprema Corte. A esposa dele um dia me disse:

— Você é a única pessoa que o meu marido respeita. Se você diz alguma coisa ele ouve, mas ele não dá ouvidos a mais ninguém. Eu já fiz de tudo mas fracassei. É por isso que estou lhe falando.

— E qual é o problema? — perguntei.

— O problema — disse ela — está se tornando maior a cada dia. Ele permanece um juiz por vinte e quatro horas. Até mesmo na cama comigo ele se comporta como juiz... esperando que me dirija a ele como "meritíssimo". Com os nossos filhos ele se comporta como se eles fossem criminosos. Com todo mundo é a mesma coisa! Estamos todos cansados. Ele nunca sai do tribunal. Ele interpreta o papel dele o tempo todo; nunca se esquece disso. A coisa lhe subiu à cabeça.

E ela estava certa — eu conhecia o marido dela. É bom ser um juiz quando você está no tribunal, mas no momento em que sai do tribunal... Mas ele levava o tribunal para casa, então continuava a se comportar da mesma maneira com a esposa, com os filhos, com todo mundo. A esposa o temia, os filhos o temiam. No momento em que ele entrava em casa, todos se intimidavam. Um momento antes, as crianças brincavam alegremente, divertidas. De repente paravam, e a esposa se tornava séria. Imediatamente a casa se transformava num tribunal.

Esse é o estado de milhões de pessoas: elas permanecem as mesmas, elas levam o trabalho para casa.

O seu intelecto é necessário. A sua cabeça tem o seu próprio funcionamento, a sua própria beleza, mas ele deve estar no lugar certo. Há muito mais coisas que estão além do alcance da cabeça, e quando você entra nessas outras esferas, deve deixar a cabeça de lado. Você deve ser capaz disso. Isso é flexibilidade. Isso é inteligência.

E lembre-se de nunca se confundir entre intelecto e inteligência. O intelecto é apenas uma parte da inteligência. A inteligência é um fenômeno muito maior; ela contém muito mais do que o intelecto, porque a vida não é apenas intelectual, a vida também é intuitiva. A inteligência contém a intuição. Muitas grandes descobertas foram feitas não pelo intelecto mas pela intuição. Na verdade, todas as grandes descobertas foram feitas pela intuição.

Dentro de você existe algo muito mais profundo. Você não deve se esquecer disso. O intelecto é apenas a periferia, a circunferência, ele não é o centro do seu ser. O centro do seu ser é a intuição.

Quando você deixa de lado o seu intelecto, quando você põe a cabeça de lado, então algo mais profundo dentro de você começa a funcionar e é incompreensível da periferia. O seu centro começa a funcionar, e o seu centro está sempre sintonizado com o todo. A sua circunferência é o seu ego, o seu centro está sintonizado com o Tao. O seu centro não é seu, ele não é meu; o centro é universal. As circunferências são pessoais — a sua circunferência é a sua circunferência, a minha circunferência é a minha circunferência — mas o meu centro e o seu centro não são duas coisas: no centro todos nós nos encontramos e somos uma coisa só.

INTELECTO

É por isso que os místicos vêm a saber sobre a unidade da existência — porque ela depende da intuição. A ciência produz divisão, separação; ela alcança as partículas mais diminutas. O mundo se torna uma multiplicidade, não é mais um universo.

Na verdade, os cientistas deveriam parar de usar a palavra *universo,* eles deveriam começar a usar uma nova palavra, *multiverso.* "Universo" tem um tom místico — "universo" significa um. O místico busca o uno; essa é a experiência do centro. Mas o centro só pode funcionar quando você parte da circunferência para o centro. Ele precisa de um salto quântico.

CAPÍTULO 6

IMAGINAÇÃO

A faculdade da intuição e a faculdade de criar a sua própria realidade não são absolutamente diferentes, mas coisas diametralmente opostas. A intuição é apenas um espelho. Ela não cria nada, ela apenas reflete. Ela reflete aquilo que é. Ela é pura, silenciosa, água cristalina refletindo as estrelas e a lua. Ela não cria nada. Ela é a claridade que no Oriente foi chamada de terceiro olho. Os olhos não criam nada, eles simplesmente informam você do que existe.

Criar a sua própria realidade é chamado de imaginação — essa é a faculdade de sonhar. Durante a noite, você cria muitas coisas nos seus sonhos. E a coisa mais impressionante é que durante toda a sua vida você vem sonhando toda noite e sabe a cada manhã que era um sonho — não real. Mas quando a noite volta, e você dorme e a sua imaginação começa a abrir as asas, nenhuma dúvida lhe ocorre — sem nenhuma dúvida você aceita a sua realidade.

Essa faculdade da imaginação pode funcionar também de outras maneiras. Ela cria os seus sonhos — que você sabe que não são reais. Mas quando eles vêm e você é envolvido por eles, eles parecem absolutamente reais — mais reais do que o mundo real. Porque no mundo real de vez em quando você pode desconfiar, você pode duvidar. Por

IMAGINAÇÃO

exemplo, neste momento mesmo você é capaz de duvidar se o que está vendo aqui ou ouvindo aqui é real, ou se você dormiu e está tendo um sonho. Ele pode ser um sonho. Você só vai saber quando acordar.

Essa é a única distinção: na realidade, você pode duvidar — "poderia ser um sonho" — mas num sonho você não pode imaginar se é um sonho. Essa é a única distinção entre sonho e realidade. A realidade lhe permite argumentar, a imaginação não lhe permite argumentar.

A mesma faculdade pode criar devaneios... você está sentado em silêncio, sossegado, sem fazer nada, e um sonho começa a flutuar nos seus olhos; você está acordado, mas começa a pensar sobre ser o presidente do país. Porque você está acordado, uma corrente oculta sabe que você está tendo idéias estúpidas; mas ainda assim elas são tão doces que você continua a sonhar que se tornou um conquistador do mundo, ou o homem mais rico do mundo. Ele está acordado, mas está produzindo um sonho. Se isso se tornar demais, você perderá a sanidade mental. Você pode ir a um asilo de loucos, a um hospital psiquiátrico, e ficará surpreso em saber como as pessoas vivem da própria imaginação: falar com as pessoas que não estão presentes — não apenas falar, mas até mesmo responder pelas pessoas — e não existe dúvida, não existe ceticismo.

A imaginação pode criar um tipo de insanidade se ela começar a acreditar nos próprios devaneios — ela pode produzir alucinações. Até onde eu sei, os seus assim chamados santos, grandes líderes religiosos que viram Deus, que encontraram Deus, que conversaram com Deus, estão nessa categoria. O Deus deles está exatamente na imaginação deles.

Existe um determinado método se você quiser conferir. O tempo necessário é de no mínimo três semanas, e você tem de fazer duas coisas para preparar o terreno para criar uma alucinação. Então você poderá ver Jesus Cristo em pé à sua frente, ou Gautama Buda, e poderá entabular uma boa conversa. Você poderá fazer perguntas e receberá as respostas — embora ninguém mais veja que aquela entidade está lá, mas isso será

INTUIÇÃO

culpa dos outros. Eles não têm a elevação espiritual para ver o invisível. Duas coisas básicas são necessárias: uma é um jejum de três semanas. Quanto mais faminto você estiver, menos a sua inteligência funciona, porque a inteligência precisa de uma determinada quantidade de vitaminas continuamente — se essas vitaminas não forem fornecidas, o cérebro começará a perder as suas funções. No período de três semanas ele pára de funcionar. Então a primeira coisa é fazer o intelecto dormir. É por isso que todas as religiões prescrevem o jejum como uma disciplina religiosa excelente. Mas a psicologia por trás disso é que dentro de três semanas a sua inteligência começa a adormecer. E então a imaginação pode funcionar perfeitamente bem — não há ninguém para duvidar.

O segundo requisito é a solidão — vá para um lugar numa montanha, numa floresta, numa caverna, onde esteja absolutamente sozinho. Como o homem nasceu em sociedade, ele sempre viveu entre as pessoas. Ele fala e conversa o dia inteiro: blablablá, blablablá. À noite ele conversa com os seus sonhos, e pela manhã começa e vai em frente até dormir de novo. Se não houver ninguém com quem conversar, ele começa a orar a Deus. Isso é conversar com Deus, essa é uma maneira respeitosa de enlouquecer.

No período de três semanas... depois da segunda semana, ele começa a falar em voz alta. Depois da primeira semana, começa a falar consigo mesmo, mas ele sabe que ninguém deve ouvi-lo; do contrário, vão pensar que ele está louco. Mas no fim da segunda semana esse temor não existe mais, porque a inteligência está ficando insensível. Na segunda semana, ele começa a falar em voz alta. Na terceira semana, ele começa a ver a pessoa com quem quer se encontrar: Jesus Cristo, Krishna, Mahavir, Gautama Buda, um amigo morto, ou quem quer que seja. Depois de três semanas, ele é capaz de visualizar a pessoa com tanta clareza que a nossa realidade comum parece ofuscada. Daí as religiões terem incentivado essas duas estratégias: jejuar e ir para um retiro isola-

IMAGINAÇÃO

do. Essa é a maneira, a maneira científica, de ter uma experiência alucinatória.

Você pode criar a sua própria realidade: pode viver com Jesus Cristo outra vez, pode ter uma boa conversa com Gautama Buda, pode fazer perguntas e obter respostas — embora esteja fazendo as duas coisas. Mas foi descoberto que quando você faz uma pergunta, a sua voz assume um tom, e quando dá a resposta, a sua voz é diferente. Naturalmente, isso acontece em todos os hospícios por toda parte — as pessoas conversam com as paredes.

Toda a história dos santos que tiveram contato com Deus, conversaram com Deus, tem de ser pesquisada com uma preocupação maior do ponto de vista psicológico. Eles não são diferentes dos loucos. Todas as suas pretensões, declarações de que são os únicos filhos de Deus, de que são o único profeta de Deus, de que são a única reencarnação de Deus, não são nada além de afirmações insanas.

Será um verdadeiro choque se você puder entender que essas pessoas estavam envolvidas por alucinações; elas criaram a sua própria realidade ao redor de si. Os seus deuses eram a sua imaginação, as suas mensagens vieram da sua própria mente, as escrituras que deixaram foram feitas por elas mesmas. Nenhum livro foi escrito por Deus, porque eu consultei todos esses livros — eles não merecem nem sequer ser considerados boa literatura, o que dizer sobre a sua santidade? Eles são uma literatura de terceira classe, mas as pessoas os veneram.

Toda a história da humanidade pode ser reduzida a uma única frase: ela tem sido a história da histeria. Todos esses santos e sábios são histéricos. Apenas muito poucos deixaram de lado a imaginação, deixaram de lado toda a mente e todas as suas faculdades — mas esses poucos não tiveram contato com Deus.

Buda nunca viu nenhum Deus. Ele vivenciou apenas um enorme silêncio, experimentou a grande alegria, que permaneceu por quarenta

76　　　　INTUIÇÃO

e dois anos após a sua iluminação. A iluminação dele não foi uma ficção, porque as ficções não podem durar por tanto tempo; os sonhos não podem transformar a vida de um homem. Depois da iluminação, ele se tornou outro homem. A alegria permaneceu com ele, assim como a respiração. Ele não conversava sobre deuses, não falava sobre céu e inferno, não falava de anjos. Ele não viu todas essas coisas. Essas coisas têm de ser criadas primeiro, você tem de se colocar numa determinada situação em que possa ver tudo quanto queira ver. E se a pessoa estiver morrendo de vontade de ver Jesus Cristo, estará pronta para fazer qualquer coisa: jejum, isolamento, ir para um mosteiro...

Em Atos, na Europa, existe um mosteiro de mil anos de idade — talvez o mosteiro mais antigo da Europa. Nesse mosteiro, há uma regra segundo a qual só se pode entrar nele, não se pode sair mais de lá. E dentro desse mosteiro vivem cerca de dez mil monges. Apenas quando eles morrem... então o seu corpo é lançado por um buraco e outros cristãos que estão do lado de fora — que não são monges — dão-lhes uma sepultura. Mas os que estão dentro não podem nem ao menos sair com o morto.

Então, o que aquelas pessoas fazem? — apenas cantam "Ave Maria". O mosteiro é dedicado à mãe de Jesus, Maria. O dia inteiro o único trabalho deles é cantar a "Ave Maria". Jejum, isolamento, isolamento do mundo... logo eles começam a ter alucinações de que a mãe Maria os visita. Eles têm as suas celas, vivem sozinhos, isolados uns dos outros. Eles não podem conversar entre si, apenas com o abade. Nesses mil anos, nenhuma mulher pôde entrar no mosteiro... nem mesmo um bebê de seis meses. Esses monges estão sentados sobre verdadeiros vulcões de energia sexual reprimida.

Essa energia sexual reprimida também ajuda a criar alucinações. Todo mundo sabe que os rapazes começam a ter alucinações sobre garotas e que as garotas começam a ter alucinações sobre rapazes. Os seus sonhos tornam-se cada vez mais sensuais; o sexo se torna um fator do-

IMAGINAÇÃO

minante em sua mente. E por causa desses monges terem reprimido o sexo e estarem jejuando, vivendo no isolamento, só pensando em Jesus Cristo ou na Ave Maria, naturalmente eles começam a ter alucinações. E aqueles que começam a ter alucinações são os mais respeitados, os mais venerados. O maior louco dentro do mosteiro se torna o abade.

Há muitas coisas a fazer para liberar essas pessoas desses hospícios chamados mosteiros, conventos, para ajudá-las a recuperar a sanidade mental, trazê-las de volta ao mundo da realidade e não dos sonhos. Você não precisa criar a sua realidade, você só tem de purificar os seus sentidos para sentir a realidade e a sua beleza psicodélica, o seu colorido, o seu vigor, a sua vitalidade.

E dentro de si você tem de descobrir a realidade, não criá-la; porque nada criado por você pode ser outra coisa além de imaginação. Você simplesmente tem de entrar, em silêncio, e observar — apenas ficar alerta e consciente de modo a poder ver o que é real. E aqueles que viram a realidade dizem que você sente um enorme silêncio, uma grande alegria, uma infinita felicidade, imortalidade; mas você não vai ver nenhum Deus, e não vai ver anjo nenhum. Essas coisas têm de ser criadas para serem vistas.

A intuição, a imaginação, o intelecto, tudo isso tem de ser transcendido. Você tem de chegar a um ponto em que está além da mente: uma profunda serenidade, um frescor e uma calma, essa é a sua verdadeira natureza, essa é a sua natureza búdica. Isso é o que você é, esse é o material de que você é feito, e esse é o material de que todo o universo é feito. Podemos chamá-lo de consciência universal, podemos chamá-lo de divindade universal — qualquer nome serve. Mas lembre-se, milhões têm-se enganado com a imaginação. E é muito simples, muito fácil — só se precisa seguir uma determinada estratégia e então criar a realidade.

Uma vez eu estava hospedado na casa de um amigo. Na Índia existe um festival sagrado, e nesse festival as pessoas usam algo semelhante à marijuana — e isso se chama *bhang*. O homem na casa de quem eu estava hospedado era também um professor na mesma universidade em que eu estava — um homem muito simples e bom. E eu havia dito a ele:

— Não faça essa idiotice.

Mas ele foi a uma reunião com alguns amigos e eles conseguiram servir a ele doces que estavam cheios de marijuana, e algumas bebidas geladas também cheias de marijuana. Ele não voltou para casa. No meio da noite eu tive de ir procurá-lo: o que havia acontecido? Ele estava em pé, nu, rodeado por uma multidão, gritando obscenidades, e as pessoas atiravam pedras nele.

Não consegui entender o que acontecera. Detive as pessoas, dizendo:

— Eu conheço este homem. Ele está se comportando como se estivesse drogado.

Tentei vesti-lo mas tive dificuldade, pois ele resistia bastante. Eu tentava vestir-lhe as calças e ele as arrancava. E depois ele saiu correndo.

Eu não conhecia direito a cidade, mas ele a conhecia bem. Eu o segui por alguns minutos pelas ruas estreitas e depois o perdi. De manhã, a polícia telefonou para casa e informou que o meu amigo estava preso, então fui até a delegacia. Na ocasião, ele já havia recuperado um pouco dos seus sentidos, ainda assim estava com muita ressaca. Mas ele me reconheceu e disse:

— Desculpe por não ter dado ouvidos a você.

Ele tinha ferimentos por todo o corpo, por causa das pedras que as pessoas haviam atirado nele.

Eu o levei para casa e desde aquele dia ele ficou com medo da polícia, ficou marcado por esse medo, porque a polícia deve tê-lo agredido bastante. De outra maneira ele não teria vestido as roupas, e ele deve ter-se comportado mal com os policiais. Ele ficou com tanto medo, que esse se tornou uma paranóia, a vida tornou-se difícil para ele.

IMAGINAÇÃO

Durante a noite, um policial ficava de guarda na rua. Ele ouvia o ruído das botas do policial e bastava isso para que acordasse sobressaltado. Eu lhe dizia:

— Balram (esse era o nome dele), o que você está fazendo?

— Fique quieto — ele respondia. — A polícia vem vindo.

Eu tive de pedir ao diretor para lhe dar quinze dias de licença para que ele pudesse descansar, porque era difícil levá-lo à universidade. Tudo se tornava suspeito — se visse duas pessoas paradas na esquina, conversando, ele dizia:

— Olhe, eles estão conspirando. E eu garanto que vão conseguir me pegar, vão me prender e me bater. Faça alguma coisa!

Um carro de polícia passava e ele dizia:

— Meu Deus! Eles chegaram!

Eu tentei de todas as maneiras possíveis mostrar que era apenas medo. Eu sabia como havia começado, mas já estava sendo demais. Ele não ouvia, nem dormia, nem me deixava dormir. Por fim, eu tive de ir até o inspetor de polícia e contar-lhe toda a história. Eu falei a ele:

— O senhor precisa me ajudar de alguma forma. Esse homem é muito simples, inocente, ele não cometeu nenhum crime... ele só havia tomado marijuana. Eu não sei o que mais misturaram nos doces e bebidas que lhe deram. A polícia deve ter batido nele; do contrário, ele não vestiria as roupas. Eu tentei ajudar, mas ele saiu correndo.

O inspetor respondeu:

— De que maneira eu poderia ajudar?

— O senhor poderia chegar lá com uma pasta — eu sugeri — porque ele vive repetindo: "Eles têm uma pasta contra mim e estão esperando o momento certo para me prender." Então, se o senhor chegar com uma pasta, com algemas e uma ordem de prisão... qualquer papel. Só de ver o senhor ele vai perder toda a inteligência. E chegue durante a noite, ele tem de ser preso à noite.

80 INTUIÇÃO

"E então eu vou lhe persuadir, vou lhe dar cinco mil rúpias para deixar o pobre homem em paz. E, muito relutantemente, o senhor deve deixá-lo ir, e eu vou lhe pedir para queimar a pasta. Então o senhor queima a pasta, e enquanto está nos deixando ir, diz-me de modo que ele possa ouvir: 'Agora não há mais nenhum problema, porque a pasta foi queimada e não há mais provas nas mãos da polícia.' E eu posso recuperar o dinheiro mais tarde."

O homem foi muito bom. Ele disse que iria. E realmente apareceu durante a noite, no momento em que o meu amigo ia se deitar. O inspetor fez com que se levantasse e ele me disse:

— Ouça, olhe, eu venho lhe dizendo que eles viriam... e eles vieram, e esta é a pasta.

O inspetor me entregou a ordem de prisão e declarou:

— Ele tem de ser preso.

E colocou as algemas nele. Eu tentei persuadi-lo, mas ele informou:

— Não posso fazer nada. Ele vai passar pelo menos cinco anos na cadeia.

E Balram olhou para mim e pediu:

— Escute, faça alguma coisa, ou então estou perdido.

Então eu dei as cinco mil rúpias ao inspetor e argumentei:

— Ele é uma pessoa simples. Me faça um favor: deixe-o livre. Se ele fizer alguma coisa outra vez, então eu serei a primeira pessoa a entregá-lo à polícia. Mas este foi o primeiro crime dele, e ele o cometeu sob o efeito de drogas.

Com dificuldade, eu convenci o inspetor a queimar a pasta, e ele queimou a pasta. Depois de retirar as algemas, ele me disse:

— Está bem. Se ele fizer alguma outra coisa de novo, não poderei fazer nada. No momento, tudo o que foi relatado sobre ele à polícia foi queimado. Agora a polícia não tem poder para prendê-lo.

IMAGINAÇÃO

E daquele dia em diante Balram ficou perfeitamente bem.

No dia seguinte, eu tive de ir à chefatura de polícia para buscar o meu dinheiro de volta. O homem era realmente uma boa pessoa. Ele poderia ter-se recusado a me devolver o dinheiro, mas ele o devolveu e perguntou:

— Como está o nosso rapaz?

— Está perfeitamente bem — eu lhe disse. — Agora ele pode ver os policiais passando sem se incomodar. Eu lhe disse uma ou duas vezes: "Olhe lá aqueles policiais." E ele me respondeu: "Tudo bem. A pasta foi queimada."

O meu amigo tinha criado uma alucinação ao redor de si mesmo. E as assim chamadas religiões existem em torno dessas alucinações. Você vai ficar surpreso em saber que a mais antiga das escrituras dos hindus trata de uma determinada droga, *somras,* que era encontrada nos Himalaias e talvez ainda se encontre lá, mas não sabemos como reconhecê-la. Era uma prática normal entre todas as pessoas religiosas beber *somras.*

Um dos homens mais inteligentes do século XX, Aldous Huxley, ficou muito impressionado quando o LSD foi descoberto — ele foi o primeiro a fazer a promoção do LSD. Ele viveu com a ilusão de que por meio do LSD pode-se alcançar as mesmas experiências espirituais que Gautama Buda teve, que Kabir teve, que Nanak teve. Pensando nos *somras* dos Vedas, ele escreveu em seu livro, *Céu e Inferno,* que no futuro a maior droga seria um produto sintético criado pela ciência. Seu nome seria uma homenagem à primeira droga usada pelas pessoas religiosas — *somras.* E o seu nome seria *soma.*

E desde os tempos do *Rigveda* na Índia, os *sannyasins* hinduístas, pessoas religiosas hinduístas, têm tomado todos os tipos de drogas para entrar em contato com os seus deuses imaginários. A tal ponto que encontrei um seguidor de Kabir... eles bebem todos os tipos de drogas e chega um momento em que se tornam imunes. Então eles começam a criar serpentes ninjas, e fazem com que as cobras mordam a sua língua. Só isso lhes proporciona uma experiência religiosa! Eu vi um mosteiro dos seguidores de Kabir em que eles tinham cobras grandes, perigosas — bastaria uma mordida delas e você estaria morto, pois o veneno não tinha cura. Mas aqueles monges precisavam do veneno porque nenhuma outra droga fazia mais efeito sobre eles.

Não é apenas uma coincidência que no Ocidente a geração mais nova tenha se interessado pelas duas coisas ao mesmo tempo: as drogas e o Oriente. Os jovens vão para o Oriente para encontrar um meio de experimentar alguma coisa além do mundo normal, comum, do qual já estão cansados. Agora o sexo não exerce tanta atração, o álcool não interessa mais, então eles vão para o Oriente em busca de técnicas para criar uma realidade. E na maioria dos *ashrams* do Oriente eles encontram técnicas que ajudam a sua imaginação. São tipos sutis de drogas.

E no Ocidente muitos tomaram drogas. Neste momento, existem milhares de jovens — homens e mulheres — sofrendo nas prisões da Europa e da América por causa do consumo de drogas.

Mas até onde eu sei, vejo o problema numa perspectiva diferente. Eu o vejo como o começo de uma busca por algo além do mundo comum — embora eles estejam buscando de maneira errada. As drogas não lhes dão a realidade. Você pode criar uma realidade através das drogas, mas essa realidade dura apenas algumas horas e então você precisa retornar às drogas. E a cada vez você precisa tomar quantidades maiores da droga, porque você vai se tornando imune.

No entanto existe uma grande tendência entre os jovens, que nunca foi observada antes, de interesse pelas drogas. Eles estão prontos para enfrentar a prisão, depois saem e voltam a se envolver com as drogas. Na verdade, se eles têm dinheiro, até mesmo dentro da prisão dão um jeito de conseguir drogas com os próprios carcereiros; basta dar dinheiro a eles.

IMAGINAÇÃO

Mas eu não vejo a questão como um mau sinal. Eu simplesmente a vejo como uma geração mal orientada. A intenção está certa, mas não existe ninguém para dizer-lhes que as drogas não vão satisfazer os seus desejos ou as suas ansiedades. Apenas a meditação, apenas o silêncio, apenas a transcendência além da mente pode proporcionar a felicidade e a satisfação.

Mas eles não podem ser condenados como estão sendo condenados e punidos. A geração mais velha é responsável, porque não oferece alternativas.

Eu proponho a única alternativa: quanto mais você meditar, menos vai necessitar de alguma outra coisa. Não precisa criar uma realidade porque começa a ver a própria realidade. E uma realidade criada é simplesmente falsa, é um sonho — talvez um sonho doce, mas um sonho é um sonho, afinal de contas. A sede está certa, apenas eles estão andando a esmo. E os seus líderes religiosos, os seus líderes políticos, os seus governos e as suas instituições educacionais não são capazes de lhes dar a orientação correta.

Eu considero tudo isso como um sintoma de uma grande busca, a qual tem de ser bem recebida. Apenas se deve dar as orientações corretas: que as velhas religiões não podem dar, que a velha sociedade é impotente para dar. Nós precisamos, urgentemente, do nascimento de uma nova humanidade. Nós precisamos, urgentemente, mudar toda essa doença e essa coisa horrível que está destruindo muitas e muitas pessoas no mundo.

Todo mundo precisa se conhecer, conhecer a própria realidade. E é bom que o desejo tenha surgido. Cedo ou tarde, vamos ser capazes de conduzir os jovens na direção certa. As pessoas que se tornaram *sannyasins* experimentaram todos os tipos de drogas. E quando elas se tornaram *sannyasins* e começaram a meditar, pouco a pouco o seu interesse pelas drogas desapareceu. Agora elas não precisam mais das drogas.

Não foi preciso nenhuma punição, nenhuma cadeia, só a orientação correta — e a realidade é muito gratificante, é como uma bênção que lhe satisfaz completamente.

A existência lhe dá — em tal abundância — riqueza de ser, de amor, de paz, de verdade, que você não pode pedir mais. Você não consegue nem sequer imaginar mais.

CAPÍTULO 7

POLÍTICA

O mundo da política é basicamente do nível instintivo. Ele pertence à lei da selva: a força é o certo. E as pessoas que se interessam pela política são as mais medíocres. A política não requer outra qualificação a não ser uma, a saber: um profundo sentimento de inferioridade.

A política pode ser reduzida quase a uma máxima matemática: Política significa sede de poder.

Friedrich Nietzsche chegou a escrever um livro, *Vontade de Potência*. Trata-se de um livro muito significativo porque o desejo de poder se expressa de muitas maneiras. Então você tem de entender como política não só a política que é conhecida por esse nome. *Sempre* que alguém tenta obter algum poder, é política. Não importa se essa esteja relacionada ao estado, ao governo, o assunto que for...

Para mim, a palavra política é muito mais abrangente do que se entende normalmente. Ao longo da história, o homem vem tentando impor uma estratégia política em relação às mulheres — que elas são inferiores a ele. E ele convenceu as próprias mulheres disso. E usou argumentos quanto à mulher ser desamparada e ela teve de ceder a essa idéia horrível que é absolutamente absurda. A mulher não é nem inferior nem

INTUIÇÃO

superior ao homem. Trata-se de duas categorias diferentes da humanidade — não podem ser comparadas. A própria comparação é idiota, e se você começar a comparar acabará tendo problemas.

Por que a mulher foi proclamada inferior pelo homem em todo o mundo? Porque essa era a única maneira de mantê-la dependente, de torná-la uma escrava. Era mais fácil. Se ela fosse igual, então haveria problemas; ela deveria ser condicionada à idéia de que é inferior. E os argumentos apresentados são de que ela é mais fraca fisicamente, tem uma massa muscular menor, é mais baixa. Que ela não produziu nenhuma filosofia, nenhuma teologia; ela não fundou nenhuma religião. Que não houve muitos artistas importantes do sexo feminino, muitos músicos, pintores — isso demonstra que ela não tem inteligência suficiente, não é intelectual. Ela não se preocupa com os problemas superiores da vida; suas preocupações são muito limitadas; ela é apenas uma dona de casa.

Então, decidindo comparar dessa maneira, você pode convencer facilmente a mulher de que ela é inferior. Mas esse é um meio muito ardiloso. Há outras coisas também a serem comparadas. A mulher pode ter filhos, o homem não. O homem, com certeza, é inferior; ele não pode ser mãe. A natureza não lhe deu essa grande responsabilidade, sabendo que ele é inferior. A responsabilidade vai para o superior. A natureza não deu um útero ao homem. Na verdade, a função dele no nascimento de uma criança não é nada mais do que uma injeção — um uso muito momentâneo.

A mãe tem de carregar o filho por nove meses e enfrentar todos os problemas de carregar a criança. Não é um trabalho fácil! E então dar à luz a criança... que é quase como passar pela morte. Então ela se vê envolvida em cuidar da criança por anos a fio — e no passado ela tinha um filho atrás do outro. Que tempo lhe sobraria para se tornar uma grande musicista, uma poetisa, uma pintora? Ela teria tempo para isso? Ela estava constantemente ou grávida ou cuidando dos filhos que tive-

POLÍTICA

ra. Ela cuidava da casa, por isso os homens podiam se dedicar às questões superiores.

Apenas por um dia, por vinte e quatro horas, mude a sua rotina. Deixe que *ela* se dedique à contemplação, a criar poesias ou música, e por vinte e quatro horas você toma conta das crianças, da cozinha, da casa. E então você vai saber quem é superior! Apenas vinte e quatro horas serão suficientes para lhe provar que tomar conta dos filhos é como estar num hospício. Eles não são tão inocentes quanto parecem. Eles são tão desobedientes quanto você possa imaginar e fazem todo o tipo de travessuras. Eles não vão lhe dar folga nem por um instante sequer; querem atenção o tempo todo... talvez essa seja uma necessidade natural. Atenção é alimento.

E em apenas um dia cozinhando o alimento para a família e os convidados, você vai saber que em vinte e quatro horas você conheceu o inferno, e vai esquecer aquela idéia de que é superior. Porque em vinte e quatro horas você não vai pensar nem em uma fração de segundo em teologia, filosofia, religião.

Você tem de pensar a partir de outros ângulos também. A mulher tem mais poder de resistência que o homem. Hoje em dia, esse é um fato estabelecido medicamente. As mulheres adoecem menos que os homens; elas vivem mais do que os homens, cinco anos a mais. É uma sociedade muito estúpida essa que estabeleceu que o marido deve ser quatro ou cinco anos mais velho que a esposa — só para provar que o marido é mais experiente, mais idoso, para manter a superioridade dele intacta. Mas não está medicamente correto, porque a mulher vive cinco anos a mais. E se você pensar do ponto de vista médico, então o marido deveria ser cinco anos mais novo que a esposa, de modo que possam morrer quase ao mesmo tempo.

Por um lado, o marido tem de ser quatro ou cinco anos mais velho e, por outro lado, a mulher não pode casar-se de novo, em quase todas as culturas e sociedades. É uma evolução recente que isso seja permitido, e que isso aconteça apenas nos países mais adiantados. Não se permite que a mulher se case, e nesse caso ela terá de viver no mínimo dez anos como viúva. Isso é medicamente insalubre — só a aritmética não está certa. Por que forçar dez anos de viuvez à mulher? A melhor maneira teria sido que a esposa devesse ser cinco anos mais velha e o homem devesse ser cinco anos mais novo. Isso teria resolvido todo o problema. Não haveria necessidade de viúvos e viúvas.

Agora, se você pensar que a mulher vive cinco anos a mais que o homem, então quem é superior? Se a mulher adoece menos, tem mais resistência, então quem é superior? As mulheres cometem suicídio cinqüenta por cento menos que os homens. A mesma proporção se aplica à loucura: cinqüenta por cento de mulheres enlouquecem menos que os homens. Então, esses fatos nunca foram levados em consideração — por quê?

Por que o homem tem de cometer suicídio numa proporção dobrada em relação às mulheres? Parece que ele não tem paciência em relação à vida. Ele é impaciente demais e desejoso demais, espera demais, e quando as coisas não correm da maneira que queria, ele põe cabo em si mesmo. Ele se frustra muito cedo. Isso mostra uma fraqueza: ele não tem coragem de encarar os problemas da vida. O suicídio é uma atitude covarde. É uma tentativa de escapar dos problemas, não de solucioná-los.

A mulher tem mais problemas — os problemas dela e os problemas que o seu homem cria para ela. Ela tem o dobro de problemas e ainda assim consegue enfrentá-los corajosamente. E você continua dizendo que ela é mais fraca. Por que duas vezes mais homens do que mulheres ficam loucos? Isso simplesmente mostra que o intelecto deles não é feito de materiais fortes — eles explodem o tempo todo.

Mas por que se insiste continuamente que a mulher é inferior? É política. É um jogo de poder. Se você não pode se tornar o presidente de um país... não é fácil porque existe muita competição. Você não pode se

POLÍTICA

tornar um messias porque não é fácil; no momento em que você pensar em se tornar um messias, a crucificação surge diante dos seus olhos.

Ainda outro dia eu vi um anúncio de uma missão cristã procurando novos recrutas, com Jesus pendurado na cruz; e o anúncio dizia: "É preciso coragem para ser padre." Grande anúncio! Isso com relação a Jesus, mas o que dizer dos outros padres? Eles não são padres, aquele anúncio é prova suficiente. Então houve apenas um padre. Todos aqueles papas, cardeais, bispos — o que são? Não são padres... porque quando Jesus proclamou as idéias dele, a cruz foi a resposta. E quando aqueles papas vão ao redor do mundo há tapetes vermelhos, atenção, recepções esmagadoras por parte dos presidentes dos países, primeiros-ministros dos países, reis e rainhas — isso é estranho. Você não deve portar-se mal com papas e bispos — sim, é mau comportamento! Você está proclamando que ele não é um padre. Crucifique-o — esse será o único certificado de que ele era um autêntico cristão. Crucifique quantos padres puder.

Não é a minha idéia, é a idéia deles. Eles publicaram o anúncio de que "é preciso coragem para ser padre", com a imagem de Jesus na cruz.

É tão simples ser político. Só é preciso se preocupar com o governo, o estado e os afazeres competentes — qualquer devaneio de poder faz de você um político. O marido tentando ser superior à esposa — é política. A esposa tentando ser superior ao marido — porque a esposa simplesmente não pode aceitar a idéia. Muito embora por milhões de anos tenha sido condicionada, ela encontra maneiras de sabotar esse condicionamento.

Essa é toda a razão pela qual a esposa se irrita, tem acessos de mau humor, começa a chorar ante o menor problema, faz um espalhafato por nada — as coisas que você nem sequer pode imaginar causam a maior confusão. Por que tudo isso acontece? Essa é a maneira feminina dela de sabotar a sua estratégia política: "Você pensa que é superior? Continue pensando que é superior, e eu lhe mostro quem é superior." E todo marido sabe quem é superior; ainda assim continua tentando ser superior. Ao menos fora de casa ele faz pose, ajeita a gravata, sorri e segue como se tudo estivesse bem.

Numa escolinha, a professora perguntou aos alunos:
— Quem sabe me dizer o nome do animal que sai de casa como um leão e volta como um rato?
Uma menina ergueu a mão. A professora disse:
— Muito bem, qual é a resposta?
A menina disse:
— O meu pai.

As crianças são muito observadoras. Elas reparam no que acontece. O pai sai quase como um leão, e quando volta para casa não passa de um rato. Todo marido é dominado. Não existe outra categoria de marido. Mas por quê? Por que acontece essa situação? Exista uma forma de política masculina, existe uma forma de política feminina — mas cada uma tenta ficar por cima da outra.

Em todas as outras áreas, por exemplo, na universidade: o conferencista quer ser o professor, o professor quer ser o catedrático, o catedrático quer ser o reitor, o reitor quer ser o secretário da Cultura — uma constante luta pelo poder. No mínimo seria de se pensar que isso não deveria acontecer na área da educação. Mas ninguém está interessado na educação, todo mundo está interessado no poder.

Na religião é a mesma coisa: o bispo quer ser o cardeal, o cardeal quer ser o papa. Todo mundo está numa escada tentando subir mais alto, e os outros estão puxando você para baixo pelas pernas. Os que estão em cima tentam empurrar os de baixo para que não subam para o seu nível. E o mesmo é feito por aqueles que estão num degrau abaixo da es-

POLÍTICA 91

cada: alguns de baixo estão puxando as pernas dos de cima, os de cima estão chutando e atingindo os de baixo, tentando mantê-los abaixo o máximo possível. A escada inteira, se você a considerar como um observador, é um circo. E isso acontece em toda parte, em todos os lugares.

Portanto, para mim, política significa um esforço de parecer superior. Mas por quê? — porque você se sente, no fundo, inferior. E o homem de instinto tende a se sentir inferior — ele *é* inferior. Não se trata de um "complexo de inferioridade", é um fato, uma realidade: ele é inferior. Viver a vida do instinto é viver no mais baixo nível possível da vida.

Se você entende o esforço, a luta para ser superior, você abre mão da luta — você simplesmente diz: "Eu sou eu mesmo, nem superior, nem inferior." Se você se coloca de lado e observa todo o espetáculo, você entrou no segundo mundo — o mundo da inteligência e da consciência.

É apenas uma questão de compreender toda a situação podre em que todo mundo se encontra. Você só precisa observar um pouco toda a situação: "O que está acontecendo? E até mesmo se eu atingir o degrau mais alto da escada, qual é o sentido?" Você está apenas pendurado no céu parecendo um tolo. Não tem para onde ir.

É claro que você não pode descer porque as pessoas vão começar a caçoar de você: "Aonde você vai? O que aconteceu? Você foi derrotado?" Você não pode descer e não pode ir a parte alguma porque não há degrau acima, então você fica pendurado no céu fingindo que chegou, que encontrou a meta da sua vida. E você sabe que não encontrou nada. Você simplesmente foi um tolo e toda a sua vida foi desperdiçada. Então não há como subir mais, e se você descer todo mundo vai rir de você.

Então todo mundo que se torna o presidente ou o primeiro-ministro de um país — seu maior desejo é que possa morrer no posto. Porque para baixo não poderá ir — isso será um insulto muito grande, será humilhante; e não há como subir mais alto. Você está preso; só a morte pode libertar você desse dilema.

INTUIÇÃO

O homem está sempre tentando de todas as maneiras ser alguém superior, especial, melhor — mas isso é tudo política. E de acordo comigo apenas as pessoas medíocres estão interessadas. As pessoas inteligentes têm algo mais importante a fazer. A inteligência não pode se desperdiçar na luta com uma política horrível, de terceira classe, suja. Apenas as pessoas de terceira classe se tornam presidentes, primeiros-ministros. Uma pessoa inteligente não vai se perder num deserto desses, que não leva a lugar nenhum, nem mesmo a um oásis.

Portanto, no nível instintivo, a política não passa de "a força é o certo" — a lei da selva. Adolf Hitler, Joseph Stalin, Mussolini, Bonaparte, Alexandre, Tamerlane — todas essas pessoas eram mais como lobos que seres humanos. Se queremos uma humanidade de verdade no mundo, devemos riscar os nomes dessas pessoas totalmente. Devemos esquecer que essas pessoas existiram; elas foram apenas pesadelos. Mas, estranhamente, toda a história está repleta de gente desse tipo.

O que é a história? Apenas recortes de jornais dos tempos idos. Se você ajudar alguém, nenhum jornal vai publicar a sua história; você mata alguém e todos os jornais se enchem de notícias a respeito do assunto. E o que é a sua história a não ser essas pessoas que foram um estorvo, que deixaram feridas na consciência humana? Isso você chama de história? Isso não passa de um lixo guardado na memória.

É muito estranho que as verdadeiras flores da inteligência não sejam nem ao menos mencionadas. Foi tão difícil para mim encontrar informações sobre essas pessoas. Procurei em muitas livrarias, tentando encontrar alguma coisa mais sobre essas pessoas, que são criadores de verdade! Eles estabeleceram os alicerces! Mas conhecemos apenas um tipo de mundo, o mundo onde a força é o certo.

Então, no segundo nível, o *certo* é a força. A inteligência acredita em descobrir o que é certo.

POLÍTICA

Não há necessidade de lutar com espadas ou bombas e matar todo mundo, porque a força não prova nada certo. Pense em Muhammad Ali lutando boxe contra Gautama Buda... é claro que ele será o vencedor no primeiro assalto. Não haveria um segundo assalto, o primeiro seria suficiente; o pobre Buda seria arrasado! E observando a situação, ele próprio começaria a contar: um, dois, três, quatro, cinco, seis, sete, oito, nove, dez. Ele não esperaria que o mediador contasse. E ele não se moveria do chão; estirado mesmo no chão ele contaria até dez. E diria: "Está acabado... você é o vencedor."

Mas a força não prova o que é certo — ela está perfeitamente bem no mundo dos animais e no mundo do instinto. A inteligência reverte a coisa toda: "O certo é a força" — e o certo tem de ser decidido pela inteligência, pela lógica, pela razão, pela argumentação.

É o que Sócrates fazia no tribunal. Ele estava pronto para responder a todas as perguntas que os jurados e os juízes quisessem fazer. Ele perguntou:

— Quais são os meus crimes? Comecem a enumerá-los um por um: estou pronto para responder.

Eles sabiam que seria impossível argumentar com aquele homem — mas crimes vagos, eles pensaram que talvez Sócrates não conseguisse responder por eles. E mesmo que ele conseguisse, os jurados não se deixariam convencer, porque iria contra todo o condicionamento deles. A primeira coisa que eles disseram foi:

— O maior crime que você cometeu é ter corrompido a mente dos jovens.

Sócrates disse:

— É verdade, mas isso não é crime. E o que vocês chamam de corrupção eu chamo de criação. Vocês têm corrompido a mente das pessoas; então eu tenho que destruir essa corrupção. E se vocês estão certos, então por que não abrem uma escola, uma academia, assim como

94 INTUIÇÃO

eu tenho a minha escola e a minha academia? As pessoas irão procurar a que estiver certa.

Depois que Sócrates abriu a sua escola, todas as escolas de Atenas fecharam, porque quando um homem como Sócrates estava ensinando, quem poderia competir com ele? Na verdade, todos os professores que trabalhavam nas escolas foram ser alunos de Sócrates. Ele era um verdadeiro mestre. Sócrates disse:

— Apresentem diante de mim um único jovem que tenha sido corrompido por mim; e o que vocês querem dizer com corrupção?

Eles disseram:

— Você lhes ensina que não existe Deus nem deuses.

— Sim — concordou Sócrates. — Porque não existe Deus, não existem deuses. O que eu posso fazer? Não é minha responsabilidade. Se Deus não existe, vocês estão corrompendo a mente dos jovens, ou eu estou corrompendo a mente dos jovens? Estou simplesmente dizendo a verdade. Você pensam que a verdade pode corromper a mente dos jovens?

O debate continuou por vários dias.

Finalmente os juízes decidiram que: "No que diz respeito à inteligência, ele calou a boca de vocês todos... um único homem sozinho contra toda a medíocre sociedade de Atenas... então não devemos discutir mais; vamos simplesmente pedir os votos."

Sócrates disse:

— Votar não pode provar o que é certo e o que é errado. Na verdade, a maior possibilidade é que as pessoas votem pelo que está errado, porque a maioria consiste de pessoas medíocres.

Sócrates tentou estabelecer que o certo deveria ser decidido pela inteligência. É o que finalmente produziu toda a evolução da ciência. Sócrates devia ser conhecido como o pai de toda a ciência, porque a ciência não é uma questão de "Você é poderoso, é por isso que está certo." A questão é que alguém possa provar estar certo; o quanto você é

POLÍTICA   95

poderoso não importa. A questão tem de ser decidida pela lógica, pela razão — no laboratório, com experimentos e experiências.

Então no segundo nível da consciência, a política é uma questão totalmente diferente.

A Índia esteve por dois mil anos na escravidão — por muitas razões, mas uma das razões e a mais fundamental é que todas as pessoas inteligentes da Índia voltaram as costas para a política do nível instintivo, de terceira classe, o mais baixo. Todas as pessoas inteligentes não estavam interessadas em política ou poder. Todo o seu interesse era decidir o que é verdadeiro, qual é o significado da vida. Por que estamos aqui?

Na época de Gautama Buda, talvez em todo o mundo o segundo nível de consciência tenha chegado ao ponto mais elevado. Na China, Confúcio, Lao-tsé, Mencius, Chuang-tsé, Lieh-tsé — essas eram as pessoas, contemporâneas. Na Índia, Gautama Buda, Mahavira, Makhkhali Ghosal, Ajit Keshkambal, Sanjay Vilethiputta — esses eram superpoderosos, gigantes. Na Grécia, Sócrates, Platão, Aristóteles, Plotino, Heráclito, Pitágoras — eles alcançaram o ponto mais alto da inteligência. De repente, foi como se todo o mundo fosse varrido por uma maré de inteligência. Apenas os idiotas continuaram lutando; todas as pessoas inteligentes estavam mergulhadas em busca de maneiras de como decidir o que é certo e o que é errado.

Na Índia, era uma tradição que todo filósofo viajasse por todo o país, desafiando os outros. O desafio não era hostil — você deve entender isso. No segundo nível, não existe inimizade: ambos os desafiadores eram buscadores. Tratava-se de um fenômeno amigável, não de uma luta; ambos queriam que a verdade saísse vencedora. Nenhum deles estava tentando vencer o outro; não era essa a questão absolutamente.

Quando Shankara começou a sua discussão com Mandan Mishra, ele tocou os seus pés e pediu a bênção, que a verdade vencesse. Então, tocar os pés do seu inimigo — o que isso mostra? Não é uma questão

96 INTUIÇÃO

de derrotar a pessoa. Mandan Mishra era um velho e respeitado em todo o país; Shankara era apenas um jovem, de trinta anos de idade. Mandan Mishra era da idade do avô dele — Shankara tocou os pés de Mandan Mishra, porque não era uma questão de derrotá-lo. E pediu uma bênção — não para que fosse o vencedor, mas para que a verdade vencesse. E a verdade não é propriedade de ninguém.

Aquilo acontecia em todo o país. E aqueles grandes intelectuais deram início ao que mesmo nos dias atuais não encontramos em termos de qualidade, de refinamento — pela simples razão de que todos os intelectuais se voltaram para a ciência. A filosofia foi abandonada. Naquela época, todas aquelas pessoas estavam no mundo da filosofia.

Mas você tem de se lembrar, é uma luta e não uma questão pessoal — não um desejo de provar a própria superioridade, mas uma investigação para encontrar a verdade. Toda a ênfase mudou: é sobre a vitória da verdade. O famoso ditado da história da filosofia indiana é *Satyameva jayate* — "A verdade deve vencer, não importa quem seja derrotado." Não é a ascensão de um complexo de inferioridade, mas o surgimento de uma inteligência realmente superior.

A tradição foi para a China, para o Japão, e se espalhou também para outros campos. É por isso que se você vir dois lutadores de boxe japoneses, ou lutadores de aikidô, ou lutadores de jiu-jítsu ou judô, ficará surpreso — em primeiro lugar eles se inclinam um para o outro com enorme respeito. Não é uma questão de inimizade. É uma questão dos ensinamentos do judô, e de todas as artes marciais do Japão, que quando você está lutando com alguém não é uma questão de inimizade pessoal. Se for pessoal você já está inclinado a ser derrotado, porque a luta estará baseada no ego — você estará caindo para o nível mais baixo.

Na arte do judô, quem quer que mostre uma arte superior no judô será o vencedor. Não é a pessoa, é a arte que vence. Assim como na filosofia, é a verdade que vence, então é a arte que vence. Nem mesmo

POLÍTICA

por um único momento você deve se lembrar de si e da sua vitória, porque será o momento da sua derrota.

E isso acontece muitas vezes — o que ninguém mais pode entender a não ser alguém que tenha entendido toda a tradição da cultura oriental. Às vezes, há dois lutadores igualmente não egoístas; então ninguém vence. A luta continua por dias, o fim vai sendo postergado, mas ninguém vence. Todo dia eles se encontram, inclinam-se um para o outro — com grande alegria, com grande respeito. Na verdade, eles estão honrados pela pessoa porque ela não é uma pessoa comum; só por lutar com a pessoa já é honra suficiente. E a luta continua. Por fim, os juízes têm de dizer: "Ninguém pode vencer porque ambos são igualmente desprovidos de ego — nenhum dos dois pode encontrar uma maneira de derrotar o outro."

O ego é a escapatória. O ego é um tipo de sono em que você pode ser derrotado. Apenas por um momento um pensamento pode surgir e esse será o seu fim. A arte do judô, do jiu-jítsu, do aikidô — são todas semelhantes, com apenas pequenas diferenças, sutilezas, mas os fundamentos básicos são um só. E os fundamentos básicos são que, quando você estiver lutando, não deve estar presente, mas completamente ausente; então nenhuma espada poderá cortar você.

E se você vir dois espadachins lutando, ficará simplesmente impressionado...

Uma vez eu tive um amigo, o nome dele era Chanchal Singh, e ele havia recebido treinamento em artes marciais no Japão. Ele abriu uma escola de artes marciais e costumava nos mostrar um pouco do que sabia de vez em quando apenas por diversão. Ele me disse:

— No Japão, existe um determinado treinamento para a voz. Se alguém ataca você com uma espada e você não tem nenhuma arma, você simplesmente emite um determinado som e a espada cai da mão do outro.

Eu me surpreendi:

— Parece uma coisa incrível!

— Tenho um amigo lutador — continuou ele. — Ele não sabe nada sobre espadas, mas apenas com um bastão ele consegue cortar a sua cabeça.

Então eu encontrei o lutador e lhe contei sobre o que esse homem havia dito. Ele confirmou:

— Não há problema nenhum. Eu abro a cabeça desse homem em duas partes; basta um golpe e é o suficiente.

Ele era um homem forte e quando foi bater em Chanchal Singh — assim que ele ergueu a mão, Chanchal Singh deu um grito e o bastão caiu da mão do lutador, como se o coração dele tivesse parado de bater! Seja lá o que aconteceu, a mão dele perdeu a força... bastou um som!

Eu perguntei ao meu amigo:

— Como você faz aquele som?

Chanchal Singh respondeu:

— O som é fácil de aprender; a coisa por trás dele é que você não deve estar presente. Essa é a parte mais difícil. Eu estive no Japão durante vários anos: tudo é simples, e esse é todo o problema... você não deve estar presente. E no momento em que alguém está para abrir a sua cabeça em dois, ao mesmo tempo você precisa muito estar lá! Mas mesmo nesse momento você não deve estar presente... apenas o som, sem ego nenhum por trás. De repente, o homem esquece o que está fazendo; ele fica completamente desnorteado. Mesmo a sua memória por um momento se esvai. Ele não sabe o que está acontecendo, o que ele está fazendo ali, o que estava fazendo. Ele vai precisar de um pouco de tempo para se recuperar. Apenas o seu ego precisa estar ausente. Essa ausência cria uma determinada mudança na mente da pessoa, um determinado tipo de pausa, uma pausa repentina.

POLÍTICA

Mas se ambas as pessoas forem desprovidas de ego então é muito difícil. Então costuma acontecer uma coisa estranha no Japão, uma coisa cotidiana: antes que você pegue a sua espada para atingir o outro homem, a espada do outro homem já está pronta para defender. Isso não acontece depois de você se mover, não, mas antes de você ter sequer pensado em se mover. É como se naquela fração de segundo, quando você pensa em se mover, antes que a sua mão faça um movimento, o pensamento alcançou o homem e ele se preparou para se defender.

Isso também só acontece se você estiver ausente. Então a espada não está separada de você. Você não está fazendo nada; você está simplesmente ali, ausente, permitindo que as coisas aconteçam. Mas se ambos forem desprovidos de ego, então a luta pode durar dias. Ninguém pode atingir nem mesmo arranhar a outra pessoa.

Esse não é o nível comum, instintivo. Você passou a um nível superior — até mesmo acima do segundo. Você passou ao terceiro nível, o nível intuitivo. Assim como pode acontecer com as espadas, no boxe ou no estilo de luta oriental, o mesmo pode acontecer com a inteligência no terceiro plano.

Eu amei apenas dois professores em toda a minha carreira. Eu incomodei muitos, e nunca deixei esses dois nem por um momento, mas eu os amava. Um deles era o professor S. S. Roy. Ele fez a sua tese de doutorado sobre Shankara e Bradley — um estudo comparativo. Ele me deu de presente o primeiro exemplar dessa sua obra. Eu lhe disse:

— Isso não me parece bom: sou o seu aluno e você está me presenteando com o primeiro exemplar da sua tese, assim que ela veio da gráfica.

— Na minha opinião, você merece — respondeu ele.

— Mas na minha opinião toda a sua tese está errada — argumentei eu. — Até o título está errado, porque você está comparando dois homens de níveis diferentes.

Bradley é um intelectual, um grande intelectual. Ele dominava, na primeira parte do século XX, todo o mundo da filosofia. Ele era o maior intelectual da época. Shankara não é um intelectual de maneira nenhuma.

Eu disse ao professor Roy:

— É claro que ambos chegaram a conclusões semelhantes, é por isso que você os comparou; você vê que as conclusões são semelhantes. Mas você não vê que eles chegaram a conclusões semelhantes por caminhos diversos. E essa é a minha objeção: porque Bradley simplesmente chegou a essas conclusões pela lógica, ao passo que Shankara chegou a essas conclusões pela experiência.

"Shankara não só está argumentando sobre elas como filósofo. Ele argumenta como um filósofo também, mas isso é secundário. Ele sentiu a verdade. Então, para expressar essa verdade ele usa a lógica, a razão, o intelecto. Bradley não teve experiência: e admite que não teve experiência, mas intelectualmente ele acha essas conclusões as mais defensáveis, as mais válidas."

Então concluí para o professor Roy:

— Se você me perguntar, você comparou duas pessoas completamente diferentes, que não são comparáveis.

E havia outras questões, mas a questão básica surgia sempre, o tempo todo. É possível chegar a uma conclusão apenas logicamente, e ela pode estar correta, pode não estar correta; você pode não estar certo quanto à correção dela. Mas para Shankara não era uma questão de que ela pudesse estar correta ou não: ela *era* correta. Até mesmo se você provar logicamente que ele estava errado, ele não arredaria da posição que assumira. Bradley arredaria — se você pudesse provar para ele que ele estava errado, ele recuaria.

Eu disse:

— Tanto Shankara quanto Bradley dizem que Deus, Brama, a verdade, todos são absolutos. Mas a diferença é que Bradley mudaria a sua posição se você apresentasse um argumento lógico contra ele e provasse que o argumento dele estava errado. Já Shankara simplesmente riria e diria: "Você pode estar certo. A maneira pela qual me expressei estava errada, e eu sabia que alguém que conhecesse a verdade iria achar que a expressão estava errada. Você está absolutamente certo, minha expressão estava errada." Mas Shankara não admitiria que *ele* estava errado. A posição dele era a da experiência, ela é intuitiva.

Não existe luta nenhuma no nível intuitivo.

O político no nível instintivo é simplesmente um animal selvagem. Ele não acredita em nada a não ser em ser vitorioso. Sejam quais forem os meios para ser vitorioso, ele usará. O fim justifica os meios, por mais horríveis que sejam. Adolf Hitler diz na autobiografia dele: "Os meios não importam; o que importa é o fim. Se você for bem-sucedido, o que quer que tenha feito estará certo; se você fracassar, o que quer que tenha feito estará errado. Você mente, mas se for bem-sucedido a mentira se tornará verdade. Faça tudo, apenas mantenha em mente que o sucesso deve estar no final. Então o sucesso, retroativamente, torna tudo certo. E a derrota... você pode fazer tudo certo, mas a derrota irá mostrar que estava tudo errado."

No segundo nível existe uma luta, mas então a luta é humana; é do intelecto.

Sim, existe ainda uma determinada luta para provar que o que você está sustentando é verdade, mas a verdade é mais importante que você. Se você for derrotado em favor de uma verdade maior, ficará feliz, não infeliz. Quando Shankara derrotou Mandan Mishra, Mandan Mishra imediatamente parou, tocou os pés de Shankara e pediu para ser iniciado como discípulo dele. Não é uma questão de luta. É um mundo humano, muito superior, de inteligência.

Mas ainda assim, em algum lugar, em nome da verdade, uns poucos políticos espreitam por trás da cena. De outra maneira, o que é necessário para até mesmo desafiar esse homem? Se você conhece a verdade, desfrute-a! Qual é o sentido de sair pelo país inteiro derrotando as pessoas? Se você conhece a verdade, as pessoas virão até você. Existe uma política muito sutil nisso. Você pode chamá-la de política filosófica, política religiosa, mas ainda assim é política, muito refinada.

Apenas no terceiro nível, quando a intuição começa a funcionar, não existe luta nenhuma. Buda nunca procurou ninguém para sair vitorioso, Mahavira nunca procurou ninguém para sair vitorioso, Lao-tsé nunca procurou ninguém para sair vitorioso. As pessoas os procuravam; quem estava sedento os procurava. Eles não estavam nem mesmo interessados naqueles que os desafiavam para uma discussão intelectual.

Muitos os procuraram — Sariputta, Moggalayan, Mahakashyap procuraram Buda. Todas essas pessoas eram grandes filósofos com milhares de discípulos e procuraram Buda para desafiá-lo. O único procedimento dele por toda a vida foi: "Se você sabe, eu estou contente. Você se considera vitorioso. Mas você sabe? Eu sei, e eu não acho que tenha de desafiar ninguém. Porque há apenas dois tipos de pessoas: aquelas que sabem e aquelas que não sabem. As que não sabem, como eu posso desafiar esses pobres sujeitos? Está fora de questão. Os que sabem... como posso desafiar essas pessoas ricas? Está fora de questão."

Ele perguntou a Sariputta:

— Se você sabe, estou contente... mas você sabe? E eu não estou desafiando você, apenas perguntando. Quem é você? Se você não sabe, então deixe de lado a idéia de me desafiar. Então apenas fique aqui comigo. Algum dia, no momento certo, pode acontecer... não pelo desafio, nem pela discussão, nem mesmo pela expressão.

E as pessoas eram realmente honestas. Sariputta inclinou-se profundamente e disse:

— Por favor, perdoe-me por desafiá-lo. Eu *não* sei. Sou um argumentador habilidoso e derrotei muitos filósofos, mas vejo que você não

POLÍTICA

é filósofo. E então chegou o momento de me render e ver por esse novo ângulo. O que devo fazer?

Buda disse:

— Você apenas deve ficar em silêncio por dois anos.

Era um procedimento simples para todo desafiador que aparecesse — e apareceram muitos: "Dois anos de completo silêncio e então você pode fazer qualquer pergunta." E dois anos de silêncio eram o suficiente, mais do que o suficiente. Depois de dois anos eles tinham esquecido o próprio nome, haviam esquecido qualquer desafio, qualquer idéia de vitória. Eles haviam provado do homem. Eles haviam provado da sua verdade.

Portanto, no nível intuitivo, não existe política nenhuma.

Num mundo melhor, as pessoas de intuição serão as luzes de direção para os que podem ao menos entendê-las intelectualmente. E os políticos intelectuais — professores de política, a classe culta, os teóricos — serão os guias para os políticos instintivos. Apenas dessa maneira o mundo poderá ficar tranqüilo, viver tranqüilo.

A luz deve vir do nível mais elevado. Ela terá de passar pela segunda categoria, porque apenas então a terceira categoria será capaz de captar alguma coisa dela; a segunda categoria vai funcionar como uma ponte. Era assim na Índia antiga.

Aconteceu uma vez...

As pessoas realmente intuitivas viviam nas florestas ou nas montanhas, e os intelectuais — os professores, os *pundits* ou eruditos hindus, os letrados, os primeiros-ministros — costumavam procurá-los com os seus problemas porque, conforme diziam: "Nós somos cegos... vocês têm olhos." Aconteceu com Buda. Ele estava cuidando do acampamento dele numa das margens de um rio e de ambos os lados os exércitos esperavam. Havia dois reinos e o rio era a fronteira, e eles vinham se enfrentando ao longo de gerações para decidir a qual dos reinos o rio pertenceria, porque a água era valiosa. E eles não eram capazes de decidir — então às vezes tornavam a água do rio vermelha de sangue e a luta continuava.

Buda montou acampamento ali e os generais de ambos os exércitos o procuraram. Por acaso, eles entraram no acampamento ao mesmo tempo e se avistaram. Ficaram chocados com a estranha coincidência, mas no momento não havia como recuar. Buda disse:

— Não se preocupem, é bom que tenham chegado juntos. Os dois são cegos, os seus predecessores eram cegos. O rio continua fluindo e vocês continuam matando pessoas. Não conseguem ver esse fato simples? Vocês dois precisam de água, e o rio é grande o suficiente.

"Não há necessidade de possuir o rio... e quem pode ser o possuidor? Toda a água corre para o oceano. Por que não podem os dois usá-la? Uma margem pertence a um reino, a outra margem pertence ao outro reino... não há problema. E não há necessidade nem mesmo de traçar uma linha no meio do rio, porque as linhas podem ser arrastadas pela água. Usem a água, em vez de lutar..."

Era tão simples. E eles entenderam que os seus campos e as suas colheitas estavam morrendo porque não tinham ninguém para cuidar delas. Lutar era o mais importante: quem possuía o rio? Primeiro a água tinha de ser possuída; só então poderiam irrigar os campos.

Mas a mente estúpida pensa apenas em termos de possessão. O homem de discernimento pensa em termos de utilidade.

Buda disse simplesmente:

— Usem o rio! E me procurem de novo quando tiverem usado toda a água. Então não haverá problema, e então veremos. Mas me procurem de novo apenas quando tiverem usado toda a água.

A água continua fluindo depois de vinte e cinco séculos. Como você pode usar toda a água? É um rio grande, com milhares de quilômetros de comprimento. Ele traz a água das neves eternas dos Himalaias e

POLÍTICA

a leva para o mar de Bengala. Como se poderia exauri-lo? E aqueles reinos eram apenas reinos pequenos. Mesmo que quisessem exauri-lo, não havia como.

O discernimento deve vir da pessoa intuitiva. Mas o discernimento pode ser apenas entendido pelos inteligentes, e os inteligentes podem ajudar os políticos de instinto, para os quais o único desejo é o poder.

Isso eu chamo de meritocracia, porque o mérito supremo domina e influencia os degraus inferiores, ajudando-os a subir acima do seu nível. Não há interesse investido, e por não haver interesse investido, ele é livre e o seu discernimento é claro. É difícil para as pessoas intuitivas explicar alguma coisa às pessoas instintivas porque elas estão muito além, pertencendo a duas dimensões diferentes sem nenhuma ligação. No meio, o intelectual pode ser de enorme ajuda.

As universidades, as faculdades, as escolas não devem apenas ensinar ciência política — é uma idéia estúpida ensinar ciência política! Ensinar ciência política mas também ensinar arte política, porque a ciência não tem utilidade; você tem de ensinar política prática. E os professores das universidades devem preparar políticos, dar-lhes determinadas qualidades. Então as pessoas que estão governando no momento em todo o mundo não vão conseguir nada. Então você vai encontrar governantes bem treinados, instruídos, conhecendo a arte e a ciência da política, e sempre prontos a consultar os professores, os pesquisadores e letrados. E pouco a pouco talvez seja possível que eles possam se aproximar do mais alto nível da meritocracia: as pessoas intuitivas.

Se isso for possível então teremos, pela primeira vez, algo que é realmente humano — dando dignidade à humanidade, integridade às pessoas.

Pela primeira vez você terá uma verdadeira democracia no mundo. O que existe hoje como democracia não é democracia — é oclocracia, domínio da plebe.

PARTE III

Estratégias

Abandone a mente que pensa em prosa;
reviva outro tipo de mente que pensa em poesia.
Ponha de lado toda a sua perícia em silogismos;
deixe as canções serem o seu estilo de vida.
Mude do intelecto para a intuição,
da cabeça para o coração,
porque o coração está mais próximo dos mistérios.

CAPÍTULO 8

DESCASQUE A CEBOLA

O ser do homem é muito simples, mas a sua personalidade é muito complexa. A personalidade é como uma cebola — existem muitas camadas de condicionamento, corrupção, e ocultas por trás dessas muitas camadas está o simples ser do homem. Ele está por trás de tantos filtros que você não pode vê-lo — e oculto por trás desses muitos filtros você não pode ver o mundo também, porque tudo o que atinge você é corrompido pelos filtros antes de atingi-lo.

Nada nunca atinge você como é; você continua deixando de sentir. Há muitos intérpretes no caminho. Você vê alguma coisa — primeiro os seus olhos e os seus sentidos o falseiam. Então a sua ideologia, a sua religião, a sua sociedade, a sua igreja — eles falseiam tudo. Então as suas emoções — elas falseiam também. E assim por diante, o tempo todo... No momento em que a informação chega até você ela não é mais quase nada do original, ou tão pouca que não faz diferença. Você só percebe alguma coisa se os seus filtros permitirem, e os filtros não permitem muito.

Os cientistas concordam; os cientistas afirmam que vemos apenas dois por cento da realidade — apenas dois por cento! Noventa e oito por cento da realidade se perdem. Quando você está me ouvindo, ouve

110   INTUIÇÃO

apenas dois por cento do que foi dito. Noventa e oito por cento se perdem, e quando os noventa e oito por cento se perdem, aqueles dois por cento ficam fora de contexto. É como se você pegasse duas páginas de um romance ao acaso, uma daqui, outra dali, e então começasse a reconstruir todo o romance a partir dessas duas páginas. Noventa e oito páginas ficam de fora! Você não faz idéia do que elas continham; você nem mesmo sabe que elas existiam. Você tem apenas duas páginas e reconstrói toda a novela de novo. Essa reconstrução é uma invenção sua. Não é uma descoberta da verdade, é a sua imaginação.

E há uma necessidade interior de preencher as lacunas. Sempre que você vê que duas coisas não têm relação entre si, a mente sente uma pressão interior para relacioná-las; do contrário ela se sente muito intranqüila. Então você inventa uma ligação. Você conserta as informações desconexas com elos, você as une com uma ligação e inventa um mundo que não existe.

George Gurdjieff costumava chamar esses filtros de "amortecedores". Eles o protegem da realidade. Eles protegem as suas mentiras, eles protegem os seus sonhos, eles protegem as suas projeções. Eles não permitem que você entre em contato com a realidade porque o próprio contato seria esmagador, chocante. O homem vive por meio de mentiras.

Conta-se que Friedrich Nietzsche teria dito: "Por favor, não tirem as mentiras da humanidade, ou então o homem não será capaz de viver. O homem vive por meio de mentiras. Não acabem com as ficções, não destruam os mitos. Não digam a verdade porque o homem não pode viver com a verdade." E ele está certo quanto a noventa e nove vírgula nove por cento das pessoas — mas que tipo de vida pode existir por meio de mentiras? Essa seria uma grande mentira em si mesma. E que tipo de felicidade é possível por meio de mentiras? Não há possibilidade; daí que a humanidade vive em sofrimento. Com a verdade há alegria; com as mentiras há apenas sofrimento e nada mais. Mas nós continuamos protegendo essas mentiras.

Essas mentiras são agradáveis, mas elas o mantêm protegido contra a felicidade, contra a verdade, contra a existência.

O homem é exatamente como uma cebola. E a arte consiste de como descascar e chegar ao seu centro mais profundo.

1. OS SENTIDOS FÍSICOS

A primeira camada é constituída de sentidos físicos corrompidos. Nem por um único momento pense que os seus sentidos físicos são como deveriam ser — eles não são. Eles foram treinados. Você vê as coisas que a sua sociedade permite que veja, ouve coisas que a sua sociedade permite que ouça. Você toca coisas que a sua sociedade permite que toque.

O homem perdeu muitos dos seus sentidos — por exemplo, o olfato. O homem perdeu o sentido do olfato. Observe a capacidade olfativa do cão — como o órgão olfativo dele é sensível! O do homem parece muito fraco. O que aconteceu ao nariz do homem? Por que ele não pode sentir os cheiros de maneira tão aguçada quanto um cachorro, ou quanto um cavalo? O cavalo tem um olfato que alcança quilômetros de distância. O cão tem uma imensa memória olfativa; o homem não tem memória. Algo está bloqueando o seu nariz.

As pessoas que têm pesquisado profundamente essas camadas dizem que é por causa da repressão do sexo que o sentido do olfato se perdeu. Fisicamente, o homem é tão sensível quanto qualquer outro animal — mas psicologicamente o seu nariz foi corrompido. O olfato é uma das mais importantes entradas sexuais para o corpo. É por meio do olfato que os animais começam a sentir se o macho está sintonizado com a fêmea ou não; o olfato é uma indicação sutil. Quando a fêmea está pronta para o acasalamento com o macho, ela libera um determinado tipo de odor. Apenas por intermédio do olfato o macho entende que ele é aceito. Se o odor não for liberado, o macho se afasta; ele sabe que não é aceito.

O homem destruiu o sentido do olfato porque é difícil criar uma sociedade assim chamada civilizada se o seu sentido do olfato permanecer natural. Você está seguindo pela rua e uma mulher começa a liberar o seu odor e lhe dá um sinal de aceitação. Ela não é a sua esposa; o marido dela está com ela — o sinal que você foi aceito foi enviado. O que você faz? Seria deselegante, constrangedor! A sua esposa caminha ao seu lado e não há sinal nenhum vindo do corpo dela, e de repente um homem passa por vocês e ela dá o sinal — e esses sinais são muito inconscientes; você não pode controlá-los assim de repente. Então você toma consciência de que ela está interessada no outro homem, que ela está dando as boas-vindas ao outro homem. Isso criaria problemas! Então, ao longo dos séculos, o homem destruiu completamente o seu sentido do olfato.

Não é por acaso que nos países civilizados desperdiça-se muito tempo na remoção de todos os tipos de odores do corpo. O odor corporal tem de ser completamente destruído por desodorantes, sabonetes desodorantes. O corpo tem de ser coberto por camadas de perfume, perfume forte. Isso é tudo disfarce; são maneiras de evitar uma realidade que continua existindo. O odor é muito sensual, é por isso que nós destruímos o nariz, destruímos completamente o nariz.

Até mesmo no idioma pode-se perceber a diferença. Ver significa uma coisa; ouvir, outra coisa; mas "cheirar" significa exatamente o contrário. Ver significa uma capacidade de ver, mas cheirar não significa a capacidade de cheirar. Cheirar significa que você está "cheirando". Até mesmo no idioma a repressão entrou.

DESCASQUE A CEBOLA

E o mesmo aconteceu com outros sentidos. Você não olha para as pessoas nos olhos — ou, se olhar, será apenas por alguns segundos. Você não olha para as pessoas realmente; você evita olhar. Se olhar, será considerado ofensivo. Preste atenção: você realmente vê as pessoas, ou você evita os seus olhos? — porque, se você não evitá-los, então poderá ser capaz de ver algumas coisas que a pessoa não quer mostrar. Não é bem educado ver algo que a pessoa não quer mostrar, então é melhor evitar.

Nós ouvimos as palavras, não vemos o rosto — porque muitas vezes as palavras e o rosto são contraditórios. O homem diz uma coisa e mostra outra. Gradualmente, perdemos completamente a capacidade de ver o rosto, os olhos, os gestos. Nós só ouvimos as palavras. Observe o que estou dizendo e você vai se surpreender ao perceber como as pessoas dizem uma coisa e mostram outra. E ninguém detecta isso porque foi treinado para não olhar diretamente no rosto. Ou, até mesmo se olhar, o olhar não será atento, não será para perceber. É um olhar vazio; é quase como não estar olhando.

Nós ouvimos sons por escolha. Não ouvimos todos os tipos de sons. Nós escolhemos — tudo o que é conveniente ouvir. E o que vale a pena varia de acordo com a sociedade e o país. O homem que vive num mundo primitivo, numa floresta, numa selva, tem um tipo diferente de receptividade aos sons. Ele tem de estar continuamente alerta e atento aos animais; sua vida corre perigo. Você não precisa ficar alerta; você vive num mundo civilizado, onde os animais não mais existem e não há o que temer. A sua sobrevivência não está em jogo. Os seus ouvidos não funcionam perfeitamente porque não há necessidade.

Você já viu uma gazela ou um cervo? Como eles são atentos, como são sensíveis. Ao mínimo ruído — uma folha morta levada pelo vento — o cervo fica alerta. Você nem sequer perceberia. E uma grande música envolve a vida, uma música sutil envolve a vida, mas somos absolutamente inconscientes disso. Há um grande ritmo — mas para

114 INTUIÇÃO

senti-lo é preciso ter ouvidos mais alertas, olhos mais alertas, um toque mais alerta.

Então a primeira camada é a dos sentidos físicos corrompidos. Vemos apenas o que queremos ver. Todo o mecanismo do nosso corpo está envenenado. O nosso corpo tornou-se rígido. Vivemos num tipo de congelamento; somos frios, fechados, indisponíveis. Temos tanto medo da vida que matamos todos os tipos de possibilidades pelas quais a vida poderia fazer contato conosco.

As pessoas não se tocam, elas não se dão as mãos, elas não se abraçam. E quando segura a mão de alguém você se sente embaraçado, a pessoa se sente embaraçada. Até mesmo se você abraça alguém, parece como se estivesse ocorrendo algo errado, e você se apressa a se desembaraçar do corpo da outra pessoa. Porque o corpo da outra pessoa pode abrir você — o calor do outro corpo pode abrir você. Até mesmo as crianças não recebem permissão para abraçar os pais; há um grande medo. E todo o medo é basicamente, no fundo, enraizado no medo do sexo. Há um tabu contra o sexo. A mãe não pode abraçar o filho porque o filho pode se excitar sexualmente — esse é o medo. O pai não pode abraçar a filha, ele tem medo de se excitar fisicamente — o calor atua de uma maneira própria. Não há nada de mais em excitar-se física ou sexualmente; é simplesmente um sinal de que se está vivo, de que se está imensamente vivo. Mas o medo, o tabu envolvendo o sexo, diz "fique longe, mantenha distância".

Todos os seus sentidos estão corrompidos. Não nos permitem ser naturais — daí o homem ter perdido a dignidade, a inocência, a graça, a elegância. Essa é a primeira camada.

E por causa de todas essas repressões o corpo tornou-se não orgástico. Não existe felicidade — isso aconteceu tanto ao homem quanto à mulher quase da mesma maneira, mas o homem foi mais fundo na corrupção dos sentidos do que a mulher porque o homem é perfeccionis-

DESCASQUE A CEBOLA

ta, neuroticamente perfeccionista. Assim que tem uma idéia, ele tenta levá-la ao extremo. As mulheres são mais práticas, menos perfeccionistas, menos neuróticas, mais terrenas, mais equilibradas, menos intelectuais, mais intuitivas. Elas não chegaram aos extremos. É bom que as mulheres não tenham se tornado tão neuróticas quanto os homens — é por isso que elas ainda mantêm alguma dignidade, alguma graça, alguma lisura de comportamento, alguma poesia. Mas ambos foram corrompidos pela sociedade, ambos endureceram. Os homens mais, as mulheres um pouco menos, mas a diferença é apenas de graus.

Por causa dessa camada, tudo o que entra em você tem de passar primeiro por esse filtro. E esse filtro destrói, interpreta, manipula, dá novas cores por conta própria, projeta, inventa — e a realidade se torna muito encoberta. Quando essa camada desaparece... Esse é todo o esforço da Yoga: tornar o seu corpo vivo, sensível, jovem outra vez, dar aos seus sentidos o máximo funcionamento. Então a pessoa passa a viver sem o envolvimento dos tabus; então a lucidez, a graça, a beleza passam a fluir. O calor volta a surgir, assim como a receptividade, e se dá o crescimento. A pessoa torna-se decididamente nova, jovem, e está sempre numa aventura. O corpo se torna orgástico. A pessoa é envolvida pela alegria, pela felicidade.

Com a alegria e a felicidade a primeira corrupção dos sentidos desaparece. Daí a minha insistência em favor de se alegrar, de festejar, de aproveitar a vida, de aceitar o corpo — não só aceitar o corpo, mas sentir-se grato com a vida por ter-lhe dado um corpo tão bonito. Um corpo tão sensível, com tantas aberturas para se relacionar com a realidade: olhos, ouvidos, nariz, o toque — abra todas essas janelas e deixe a brisa da vida entrar, deixe brilhar o sol da vida. Aprenda a ser mais sensível. Use todas as oportunidades para ser sensível, de modo a eliminar o primeiro filtro.

Se você estiver sentado na grama, não comece a arrancá-la e destruí-la. Eu tenho de parar de sentar no gramado — eu me acostumei a me encontrar com as pessoas no gramado — porque as pessoas destroem a grama, elas arrancam a grama. Preciso parar com isso. As pessoas são tão violentas, tão inconscientemente violentas que não sabem o que estão fazendo. E elas são advertidas tantas vezes, mas em poucos minutos esquecem. Elas são tão irrequietas que não sabem o que estão fazendo. A grama está à disposição do seu nervosismo e então elas começam a arrancá-la e a destruí-la.

Quando você estiver sentado na grama, feche os olhos, torne-se a grama — seja a grama. Sinta que você é a grama, sinta o verdor da grama, sinta a umidade da grama. Sinta o aroma sutil que a grama exala. Sinta as gotas de orvalho na grama, sinta como se elas estivessem em você. Sinta os raios solares aquecendo a grama. Por um momento, entregue-se à grama e terá uma nova sensação do seu corpo. E faça-o em todos os tipos de situações: num rio, numa piscina, deitado na praia tomando sol, olhando para a lua à noite, deitado com os olhos fechados na areia e sentindo a areia. Existem milhões de oportunidades para reviver o seu corpo. E só você pode fazê-lo. A sociedade fez o seu trabalho de corrupção dos sentidos, você terá de desfazê-lo.

E assim que começar a ouvir, ver, tocar e cheirar, então cheire a realidade.

2. CONDICIONAMENTO

A segunda camada é a do condicionamento — social, político, religioso, ideológico —, os sistemas de crenças. Os sistemas de crenças tornam você não comunicativo. Se você é hinduísta e eu muçulmano, imediatamente não existe comunicação. Se você é homem e eu sou homem, existe comunicação, mas se você é comunista e eu fascista, a comunicação pára. Todos os sistemas de crenças impedem a comunicação. E toda a vi-

DESCASQUE A CEBOLA

da não é nada *a não ser* comunicar-se — comunicar-se com as árvores, comunicar-se com os rios, comunicar-se com o sol e a lua, comunicar-se com as pessoas e os animais. Isso é comunicação; a vida é comunicação.

O diálogo desaparece quando você está carregado com sistemas de crenças. Como você pode realmente manter um diálogo? Você já está cheio demais com as suas idéias e pensa que elas são absolutamente verdadeiras. Quando ouve o outro falar, você está apenas sendo polido; de outra maneira você não ouviria. Você sabe o que é certo, você está simplesmente esperando até que o homem termine e então avança sobre ele. Sim, pode haver um debate e uma discussão e argumentação, mas pode não haver diálogo. Entre duas crenças não existe possibilidade de diálogo. As crenças destroem a amizade, as crenças destroem a humanidade, as crenças destroem a comunhão.

Então se você quiser ver, ouvir e escutar, terá de abandonar todos os sistemas de crenças. Você não pode ser hinduísta, não pode ser muçulmano, não pode ser cristão. Você não pode manter esses tipos de absurdos; você tem de ser sensível o suficiente para não ter crenças. Engaiolado no seu próprio sistema, você está indisponível e os outros estão indisponíveis a você.

As pessoas andam como casas sem janela. Sim, vocês se aproximam, às vezes apertam-se as mãos — mas nunca se encontram. Sim, às vezes vocês se tocam, mas nunca se encontram. Vocês conversam mas nunca se comunicam. Todo mundo está aprisionado nos seus próprios condicionamentos; todo mundo carrega a própria prisão ao redor de si próprio. Isso tem de ser deixado para trás.

As crenças criam uma espécie de afetação, e as crenças detêm a exploração porque a pessoa se torna temerosa. Talvez você se depare com algo que seja contra a sua crença — então o que acontece? Isso perturba todo o seu sistema. Então é melhor não explorar — permanecer confinado a um mundo insensível, morto, definido; nunca ir além dele.

INTUIÇÃO

Ele lhe dá um tipo de conhecimento "como se", *como se* você soubesse. Você não sabe nada — você não sabe nada sobre Deus, mas tem uma determinada crença sobre Deus; você não sabe nada sobre a verdade, mas tem uma teoria sobre a verdade. Esse "como se" é muito perigoso. Esse é um tipo de estado mental hipnotizado.

Homens e mulheres, todos foram condicionados, embora de maneiras diferentes. O homem foi condicionado para ser agressivo, competitivo, manipulador, egoísta. O homem foi preparado para um tipo diferente de trabalho: ser o explorador, ser o opressor e ser o senhor. As mulheres receberam sistemas de crenças para serem escravas. Elas são ensinadas a se submeter; receberam um mundo muito, muito pequeno, a casa familiar. Tiraram-lhes toda a vida. Mas uma vez estabelecido o sistema de crenças, a mulher o aceita e permanece confinada nele, e o homem aceita o sistema de crenças dele e permanece confinado nele.

Os homens foram ensinados a não chorar; as lágrimas não são coisas de homem e assim os homens não choram. Ora, que tipo de tolice é essa? Chorar e lamentar-se às vezes tem um efeito terapêutico — é necessário, é um dever, alivia o peso das obrigações. O homem continua se sobrecarregando porque não pode chorar e não pode se lamentar, é "desonroso", "indigno de um homem". E as mulheres foram ensinadas a chorar e derramar lágrimas, é perfeitamente feminino, portanto elas choram e se lamuriam, até mesmo quando não é necessário. É simplesmente um sistema de crenças — elas o usam como uma estratégia para manipular. A mulher sabe que por meio da argumentação não é capaz de vencer o marido, mas ela pode chorar — isso funciona, então torna-se um argumento. O homem é corrompido de uma maneira, ele não pode chorar, e a mulher é corrompida de outra maneira: ela começa a chorar e usa o choro como uma estratégia para dominar. Chorar torna-se político, e quando as suas lágrimas são políticas elas perdem a beleza; elas são feias.

DESCASQUE A CEBOLA

Esse segundo condicionamento é uma das coisas mais difíceis de se livrar. É muito complexo. Você tem uma determinada ideologia política, uma determinada ideologia religiosa e milhares de outras coisas misturadas na sua mente. Elas se tornaram tão integrantes de você que você nem pensa que elas são separadas de você. Quando você diz: "Eu sou hinduísta", você não diz: "Eu tenho uma crença chamada hinduísmo", não. Você diz: "Eu sou hinduísta." Você está identificado com o hinduísmo. Se o hinduísmo estiver correndo perigo, você pensa que você mesmo está em perigo. Se alguém ateia fogo num templo, você pensa que está correndo perigo. Ou, se você for muçulmano, pensa que está em perigo porque alguém queimou o Corão.

Esses sistemas de crenças têm de ser deixados de lado. Então surge a compreensão; então surge a presteza para explorar, surge a inocência. Então você está envolvido por um sentido de mistério, assombro, admiração. Então a vida não é mais uma coisa conhecida, é uma aventura. É tão misteriosa que você pode continuar explorando; essa exploração não tem fim. E você nunca cria crença nenhuma, você permanece num estado de não saber. Os sufis insistem muito nesse estado de não saber, assim como os mestres zen.

Permaneça constantemente no estado de não saber. Se lhe acontecer de saber alguma coisa, não estabeleça uma crença a partir disso. Continue deixando as crenças de lado, continue livrando-se delas. Não deixe que elas o envolvam, ou então cedo ou tarde elas irão se tornar uma crosta dura e você não estará novamente disponível para a vida.

Permaneça sempre como uma criança — então a comunicação torna-se possível, então o diálogo torna-se possível. Quando duas pessoas que estão num estado de não saber conversam, há um encontro — elas entram em comunhão. Não há nada a esconder. Você só é capaz de me entender se estiver num estado de não saber, porque eu estou nesse estado continuamente. Comigo, a comunhão é possível se você deixar de lado os seus sistemas de crenças, do contrário eles esconderão o caminho.

3. RACIONALIZAÇÃO

O terceiro filtro, a terceira camada, é o pseudo-raciocínio, a racionalização, as explicações, as desculpas. Tudo é tomado emprestado. Nem mesmo uma única experiência é autenticamente sua, mas dá um tipo de satisfação: você pensa que é um ser muito racional.

Você não pode se tornar racional acumulando argumentos e provas tomados emprestados. A argumentação verdadeira surge apenas quando você é inteligente — e lembre-se, existe uma diferença entre um intelectual e o homem que eu chamo de inteligente. O intelectual está oculto por trás do pseudo-raciocínio. O raciocínio dele pode ser muito lógico, mas nunca pode ser razoável. A argumentação dele é apenas pseudo, parece-se com a argumentação.

> Ouçam, eu escutei esta:
> Um homem estava se afogando.
> — Socorro, não sei nadar! — ele gritava. — Não sei nadar!
> — Eu também não sei — disse um velho sentado na margem do rio, mascando fumo. — Mas não estou gritando para todo mundo ouvir!

Então isso é perfeitamente racional: "Por que você está gritando para todo mundo? Você não sabe nadar, nem eu, portanto fique quieto." Mas você está sentado na margem e ele está no rio; a situação é diferente, o contexto é diferente.

Quando Buda diz alguma coisa, você pode repetir a mesma coisa, mas o contexto é diferente. Quando Maomé diz alguma coisa, você pode repetir exatamente a mesma coisa. Mas não vai significar a mesma coisa, porque o contexto é diferente. E o contexto é importante, não o que você diz. Não é o que você diz, mas quem é você é o que importa.

Outra que eu escutei:

Donnegan sentou-se no confessionário:

— Padre — ele gemeu —, fiz uma coisa tão errada, o senhor vai me expulsar da igreja.

— O que você fez, meu filho? — indagou o padre.

— Ontem — disse Donnegan —, vi a minha esposa rebolando na minha frente e fiquei tão excitado que a agarrei, arranquei-lhe a roupa, atirei-a no chão e fiz sexo com ela ali mesmo.

— Isso é um pouco incomum — admitiu o padre —, mas não há motivo para a excomunhão.

— Tem certeza de que não vai me expulsar da igreja?

— É claro que não.

— Bem — concluiu Donnegan —, eles nos expulsaram do supermercado!

Tudo depende do contexto — quem você é, onde você está. E depende de que ponto de vista, de que experiência você fala. Eu uso as mesmas palavras que você, mas elas não significam a mesma coisa — elas não podem significar a mesma coisa. Quando eu as pronuncio eu as pronuncio, quando você as pronuncia você as pronuncia. As palavras são as mesmas, mas porque elas vêm de locais diferentes, carregam um significado diferente, uma conotação diferente, um sabor diferente, uma entonação diferente.

O pseudo-raciocínio é apenas um raciocínio aparente, não é *saber*. É mais uma tentativa de encontrar desculpas; é mais uma tentativa de argumentação. Nesse tipo de engodo a mente masculina é muito perita. Essa é a especialidade da mente masculina. O homem aprendeu a arte muito profundamente. Esse filtro é muito, muito forte na mente masculina.

A argumentação verdadeira surge apenas quando o pseudo-raciocínio foi deixado de lado.

INTUIÇÃO

Qual é a argumentação verdadeira? Karl Jaspers definiu-a perfeitamente. Ele diz: a argumentação é franqueza, sinceridade, a argumentação é clareza, a argumentação é a vontade de unidade. A argumentação usa a lógica e os seus métodos e categorias de compreensão simplesmente a transcendem. A argumentação é o florescimento supremo da sabedoria.

Mas não o pseudo-raciocínio — preste atenção ao pseudo. O pseudo sempre cria um filtro e o verdadeiro sempre se torna uma porta. O verdadeiro é sempre uma ponte e o pseudo é sempre um bloqueio.

Esta terceira camada, do pseudo-raciocínio, é uma das maiores perturbações do seu ser.

4. SENTIMENTALIDADE

A quarta camada é a emocionalidade, o sentimentalismo. Esse é um pseudo-sentimento, uma tempestade em copo d'água, muita agitação. A mente feminina é muito perita nisso. É como que um vazio; está apenas na superfície. É simpatia impotente; não resolve nada. Se alguém está doente, você se senta ao lado dessa pessoa e chora. O choro não vai ajudar nada. A casa está pegando fogo e você chora — isso também não vai ajudar nada. Esse tipo de pseudo-sentimento tem de ser detectado; ou então você nunca vai saber como são os verdadeiros sentimentos.

O sentimento verdadeiro é envolvimento, compromisso. É empatia, não apenas simpatia. É ação. Sempre que você sente algo verdadeiro no coração, isso imediatamente o transforma; isso se transforma em ação. Esse é o critério: o seu sentimento se transforma em ação. Se o seu sentimento apenas permanecer um sentimento e nunca se tornar uma ação, então com certeza é pseudo. Então você está enganando a si mesmo ou a alguém mais.

Nunca se pode ir contra o próprio coração. Se você ainda está indo contra o seu próprio coração, então você deve ter um pseudocoração — um hipócrita. Assim como a terceira camada é o campo da especialidade masculina, a quarta é o campo da especialidade feminina.

5. REPRESSÃO

A quinta camada é a dos instintos corrompidos, envenenados — a repressão.

Gurdjieff costumava dizer que todos os seus centros se sobrepõem uns aos outros, estão mal colocados, interferem uns com os outros, estão atravessados e você não sabe o que é o quê. Cada centro em seu próprio funcionamento é belo, mas quando começa a interferir no funcionamento de alguém, então a situação é crítica. Então todo o sistema fica neurótico.

Por exemplo, se o seu centro sexual funciona como um centro sexual, está perfeitamente bem. Mas as pessoas têm-se reprimido tanto que em muitas pessoas o centro sexual não existe nos órgãos genitais, ele se moveu para a cabeça. Isso é que é sobreposição. Então elas fazem amor com a cabeça — daí a grande importância da pornografia, da visualização. Até mesmo durante o ato sexual com a sua mulher você pode estar pensando em lindas atrizes, que está fazendo amor com elas. Só então, de repente, você se torna interessado em fazer amor com a sua mulher. Na verdade, a sua própria mulher é inexistente. É um tipo de masturbação. Você não está fazendo amor com ela, você está fazendo amor com outra pessoa que não está presente. Você fantasia com a cabeça.

A repressão religiosa perturbou todos os seus centros. É muito difícil até mesmo ver que os seus centros estão separados. E funcionando cada um no próprio campo, os seus centros estão perfeitamente certos.

Quando eles interferem com outros campos, então ocorrem os problemas. Começa a ocorrer uma confusão sobre a sua totalidade. Então você não sabe o que é o quê.

O sexo pode ser transformado quando está confinado no próprio centro, ele não pode ser transformado a partir da cabeça. Ele criou um pseudocentro na cabeça.

Outro dia me contaram:

De tempos em tempos, os santos recebem autorização para visitar a Terra disfarçados. Santa Teresa havia muito queria conhecer Hollywood, mas Gabriel, que era encarregado da escala de serviço, considerou que até mesmo um santo não seria capaz de sair incólume depois de visitar a capital do cinema.

Por fim, no entanto, Santa Teresa conseguiu persuadi-lo de que nada de mal lhe aconteceria e partiu na primeira nuvem com destino à Terra.

As semanas se passaram, e depois meses, sem nenhuma notícia da Terra, então um dia, preocupado, Gabriel telefonou para Los Angeles. A ligação foi completada, o telefone soou e finalmente uma voz atendeu:

— Aqui é Terry... quem fala? Gabby, querido! Que maravilha receber uma ligação sua!

Os seus assim chamados santos apenas evitam o mundo. Eles são seres reprimidos. Se forem criadas oportunidades para liberá-los, eles vão cair muito mais baixo que você. Eles estão apenas de alguma forma se guardando por causa do medo do inferno e da cobiça pelo céu. Mas o que quer que você tenha reprimido por causa do medo ou da cobiça permanece lá. E não só permanece, torna-se inatural, pervertido, aprofunda-se em esferas da sua consciência e do inconsciente. E então torna-se muito difícil desenraizá-lo.

Gurdjieff era um sufi. Todo o ensinamento dele vinha dos mestres sufis. Ele introduziu métodos no mundo ocidental para delinear cada centro e permitir que o centro funcionasse em seu próprio campo.

A cabeça deve funcionar no que diz respeito à razão, só isso. Você já observou? Às vezes as pessoas dizem: "Eu penso que te amo." Eu *penso* que te amo? O amor não tem nada a ver com pensamento. Como você pode *pensar* que me ama? Mas essas pessoas não sabem como agir direto do coração; até mesmo o coração tem de passar pela cabeça. Elas não conseguem dizer simplesmente: "Eu te amo."

Quando você fala com o coração, não é preciso o idioma. Quando você fala com a cabeça, *apenas* o idioma pode expressar alguma coisa; não há outra maneira de dizê-lo.

Observe bem. Deixe a cabeça funcionar como razão, deixe o coração funcionar como sentimento, deixe o sexo funcionar como sexo. Deixe tudo funcionar da sua própria maneira. Não permita que os mecanismos diferentes se misturem uns com os outros, do contrário você terá instintos corrompidos.

Quando o instinto é natural, sem tabus, espontâneo, sem nenhuma inibição, instaura-se uma clareza no seu corpo, uma harmonia no seu corpo. O seu organismo produz um som murmurante.

A quinta camada, da repressão, também é uma especialidade masculina.

6. INTUIÇÃO CORROMPIDA

A sexta camada é a da intuição corrompida.

Existe um fenômeno chamado intuição, do qual nos vimos tornando quase inconscientes. Não sabemos que existe algo como a intuição — porque a intuição é a sexta camada. Aquelas cinco camadas são tão grossas que nunca se sente a sexta camada.

126   INTUIÇÃO

A intuição é um tipo de fenômeno totalmente diferente da razão. A razão argumenta; a razão usa um processo para chegar a uma conclusão. A intuição pula — é um salto quântico. Ela não tem um processo. Ela simplesmente chega à conclusão sem nenhum processo.

Houve muitos matemáticos que conseguiam resolver qualquer tipo de problema matemático sem passar pelo seu processo. Eles agiam de maneira intuitiva. Você só enuncia o problema e antes de ter acabado de enunciá-lo, aparece a conclusão. Não houve nenhum intervalo de tempo. Você estava enunciando e no momento em que concluiu, ou até mesmo antes de concluir a enunciação, a conclusão surgiu. Os matemáticos sempre ficam impressionados por esses fenômenos extravagantes. Essas pessoas... como será que conseguem fazer isso? Se um matemático fosse resolver o problema poderiam ser necessárias uma, duas, três horas. Até mesmo um computador levaria alguns minutos para resolvê-lo, mas essas pessoas não levam nem um instante. Você mal enuncia o problema e instantaneamente... Então, na matemática a intuição já é um fato reconhecido.

Quando a razão fracassa, apenas a intuição pode dar resultado. E todos os grandes cientistas têm conhecimento disso, que todas as suas grandes descobertas foram feitas não pela razão, mas pela intuição. Fazia três anos que Madame Curie vinha trabalhando num determinado problema e estava tentando resolvê-lo de muitos ângulos. Todos os ângulos fracassaram. Numa noite, completamente exausta, ela foi dormir e tomou uma decisão... O incidente é quase como o que aconteceu com Buda. Naquela noite, ela decidiu: "Então chega. Desperdicei três anos. Parece uma busca fútil. Vou desistir." Naquela noite ela desistiu e foi dormir.

No meio da noite, ela se levantou dormindo, foi até a mesa e escreveu a solução. Então voltou para a cama e tornou a dormir. Pela manhã, ela nem sequer se lembrava, mas a resposta estava sobre a mesa. Não havia ninguém no quarto e, até mesmo se houvesse alguém, a res-

DESCASQUE A CEBOLA

posta não teria sido possível. Ela vinha trabalhando naquilo havia três anos — e era uma das grandes inteligências da sua época. Mas não havia ninguém e a resposta estava lá. Então ela observou com muita atenção: a caligrafia era a dela! De repente o sonho voltou ao seu pensamento. Ela se lembrou de que tivera um sonho durante a noite, em que estava sentada à mesa, escrevendo alguma coisa. Então, pouco a pouco tudo ficou claro. Ela havia chegado à conclusão a partir de um outro caminho, que não era a razão. Era a intuição.

Buda lutou durante seis anos para atingir a iluminação, mas não conseguiu. Um dia, ele desistiu da idéia. Ele descansou embaixo de uma árvore e pela manhã o fenômeno havia acontecido. Quando ele abriu os olhos, estava em *samadhi*. Mas primeiro a razão teve de ser exaurida. A intuição só funciona quando a razão foi exaurida.

A intuição não tem um processo; ela simplesmente salta do problema para a conclusão. É um atalho. É um lampejo.

Nós corrompemos a intuição. A intuição humana está quase absolutamente corrompida. A intuição feminina não foi tão corrompida — é por isso que as mulheres têm algo chamado "palpite". Um palpite é simplesmente um fragmento de intuição. Ele não pode ser provado. Você vai tomar um avião para algum lugar e a sua mulher simplesmente diz que ela não vai, e que também não permitirá que você vá. Ela sente como se alguma coisa vá lhe acontecer. Isso lhe parece um absurdo — você tem muito trabalho a fazer, tudo está planejado, e você precisa ir, mas a mulher não quer deixar. E no dia seguinte você lê no jornal que aquele avião foi seqüestrado, ou caiu e todos os passageiros morreram. Então, a mulher não consegue dizer como sabia. Não há como. Foi apenas um palpite, uma sensação intuitiva. Mas isso também foi muito corrompido, é por isso que é apenas um lampejo.

Quando todas as cinco outras camadas tiverem desaparecido e você tiver se livrado das idéias fixas — porque aprendeu que a razão é a única via para chegar a todas as conclusões —, quando você tiver abandonado essa fixação, essa fixação na razão, a intuição começará a florescer. Então não aparecerá mais apenas como um lampejo, ela passará a ser uma fonte de informações constantemente disponível. Você poderá fechar os olhos e entrar nela, e sempre conseguirá a orientação correta por meio dela. Se aquelas cinco camadas tiverem sido rompidas, então surge dentro de você algo que pode ser chamado de guia interior. Você sempre pode contar com a sua energia intuitiva e sempre encontrará a orientação correta. No Oriente é isso que eles chamam de guru interior, o seu mestre interior. Depois que a sua intuição começar a funcionar, você não precisará mais pedir conselhos a nenhum guru externo.

A intuição deve estar em sintonia com você, totalmente em sintonia com você. E a partir dessa sintonia, as soluções surgem do nada.

CAPÍTULO 9

AJA COM O LADO FEMININO

Goso Hoyen costumava dizer:

Quando as pessoas me perguntam como é o Zen, eu lhes conto a seguinte história:

Percebendo que o pai estava envelhecendo, o filho de um ladrão pediu-lhe que lhe ensinasse o ofício, de modo que pudesse encarregar-se dos negócios da família depois que o pai se aposentasse.

O pai concordou e naquela noite eles invadiram uma casa juntos.

Abrindo uma arca enorme, o pai mandou o filho entrar ali para pegar as roupas. Logo que o rapaz entrou na arca, o pai a fechou e depois fez um grande barulho de modo que todos na casa acordassem. Então ele se esgueirou para fora da casa.

Fechado dentro da arca, o rapaz ficou irado, aterrorizado e confuso, sem saber como faria para sair. Então ocorreu-lhe uma idéia — ele resolveu fazer ruídos imitando um gato.

A família mandou que uma empregada pegasse uma vela e fosse examinar a arca.

Quando a fechadura foi aberta o rapaz saiu de dentro, apagou a vela, passou correndo pela empregada assustada e fugiu. As pessoas correram atrás dele.

O rapaz, percebendo um poço ao lado da estrada, atirou ali uma pedra pesada e sumiu na noite escura. Os perseguidores cercaram o poço tentando ver o ladrão se afogando.

Quando o rapaz chegou em casa, indignado com o pai, começou a contar-lhe o que acontecera; mas o pai o interrompeu:

— Não se incomode em me contar os detalhes. Você está aqui... aprendeu o ofício.

O ser é um, o mundo são muitos... e entre os dois encontra-se a mente dividida, a mente dual. Ela é assim como uma grande árvore, um carvalho antigo: o tronco é um, então a árvore se divide em dois ramos principais, a principal bifurcação, da qual partem mil e uma bifurcações de ramos. O ser é exatamente como o tronco da árvore — um, não dual — e a mente é a primeira bifurcação onde a árvore se divide em duas, torna-se dual, torna-se dialética: tese e antítese, homem e mulher, yin e yang, dia e noite, Deus e Diabo, Yoga e Zen. Todas as dualidades do mundo estão basicamente na dualidade da mente — e abaixo da dualidade acha-se a unidade do ser. Se você descer, abaixo da dualidade, você vai encontrar o uno — chame-o Deus, chame-o nirvana, ou como melhor lhe parecer.

Se você subir, através da dualidade, chegará ao mundo desdobrado milhões de vezes.

AJA COM O LADO FEMININO

Essa é uma das percepções mais básicas a serem entendidas — de que a mente não é uma. Por isso, o que quer que você veja por intermédio da mente torna-se duplo. É como um raio branco entrando num prisma: ele é imediatamente dividido em sete cores e está criado o arco-íris. Antes de entrar no prisma a cor era uma, através do prisma ela se dividiu, e a cor branca desaparece nas sete cores do arco-íris.

O mundo é um arco-íris, a mente é um prisma, e o ser é o raio branco.

As pesquisas modernas chegaram a um fato muito significativo, um dos mais importantes alcançados no século XX, e que é o de que você não tem uma mente — você tem duas mentes. O seu cérebro é dividido em dois hemisférios, o hemisfério direito e o hemisfério esquerdo. O hemisfério direito está ligado à mão esquerda, e o hemisfério esquerdo está ligado à mão direita — de maneira cruzada. O hemisfério direito é intuitivo, ilógico, irracional, poético, platônico, imaginativo, romântico, mítico, religioso; e o hemisfério esquerdo é lógico, racional, matemático, aristotélico, científico, calculista.

Esses dois hemisférios estão constantemente em conflito — a política básica do mundo está dentro de você, a maior política do mundo está dentro de você. Você pode não estar consciente dela, mas, assim que se torna consciente, a verdadeira coisa a ser feita encontra-se em algum lugar entre essas duas mentes.

A mão esquerda está relacionada ao hemisfério direito — intuição, imaginação, mito, poesia, religião — e a mão esquerda é muito condenada. A sociedade é daqueles que são destros — a destreza é relativa ao hemisfério esquerdo. Dez por cento das crianças nascem canhotas, mas elas são forçadas a ser destras. As crianças que nascem canhotas são basicamente irracionais, intuitivas, não-matemáticas, não-euclidianas — elas são perigosas para a sociedade, portanto esta as força de todas as maneiras a se tornarem destras. Não é apenas uma questão de mãos, é uma

INTUIÇÃO

questão de política interior: a criança canhota funciona por meio do hemisfério direito — o que a sociedade não pode permitir, é perigoso, então ela tem de ser contida antes que as coisas vão muito longe.

Suspeita-se de que no início a proporção devesse ser meio a meio — cinqüenta por cento de crianças canhotas e cinqüenta por cento de crianças destras —, mas a parte destra governou por tanto tempo que pouco a pouco a proporção caiu para dez por cento e noventa por cento. Até mesmo entre vocês aqui muitos seriam canhotos, mas podem não ter consciência disso. Talvez você escreva com a mão direita e faça o seu trabalho com a mão direita, mas na infância pode ser que tenha sido forçado a ser destro. Isso é um truque, porque uma vez que você tenha se tornado destro, o seu hemisfério esquerdo começou a funcionar. O hemisfério esquerdo é a razão; o hemisfério direito está além da razão, seu funcionamento não é matemático. Ele funciona em lampejos, é intuitivo — muito atraente, mas irracional.

Se você entender essa divisão, irá entender muitas coisas. Entre a burguesia e o proletariado, o proletariado está sempre funcionando por meio do hemisfério direito do cérebro. As pessoas pobres são mais intuitivas. Considere as pessoas primitivas, elas são mais intuitivas. As pessoas mais pobres, as menos intelectualizadas... e essa pode ser a causa de serem pobres. Por serem menos intelectualizadas, elas não conseguem competir no mundo da razão. Elas são menos articuladas no que se refere à linguagem, à lógica, ao cálculo — elas são quase idiotas. Essa pode ser a causa de elas serem pobres.

As pessoas ricas funcionam por meio do hemisfério esquerdo; são mais calculistas, racionais em tudo, espertas, inteligentes, lógicas — e além disso fazem planos. Essa pode ser a razão de serem ricas.

A burguesia e o proletariado não podem desaparecer por meio de revoluções comunistas, não, porque a revolução comunista é feita pelas mesmas pessoas. O czar governava a Rússia; ele governava por meio do

AJA COM O LADO FEMININO

hemisfério esquerdo da mente. Então ele foi substituído por Lênin, que era do mesmo tipo. Então Lênin foi substituído por Stálin, que era ainda do mesmo tipo. A revolução é falsa porque no fundo os mesmos tipos de pessoas governam — os governantes e os governados pretendem a mesma coisa, mas os governados são do hemisfério direito. Assim, tudo o que você fizer no mundo exterior não faz diferença de verdade, é superficial.

O mesmo se aplica aos homens e mulheres. As mulheres são pessoas do hemisfério direito, os homens são do hemisfério esquerdo. Os homens governaram as mulheres por séculos. Então algumas mulheres estão se revoltando, mas o mais impressionante é que essas são do mesmo tipo de mulheres. Na verdade, elas são exatamente como os homens — racionais, argumentadoras, aristotélicas. É possível que um dia, assim como a revolução comunista aconteceu na Rússia e na China, em algum lugar, quem sabe na América, as mulheres possam ser bem-sucedidas e derrubar os homens. Mas no momento em que as mulheres forem bem-sucedidas, não serão mais mulheres, elas terão se tornado pessoas do hemisfério esquerdo. Porque para lutar é preciso ser calculista, e para lutar contra os homens é preciso ser como os homens, agressivos. Essa agressividade mesma é vista em todo o mundo no movimento pela liberação da mulher. As mulheres que tomaram parte desse movimento de liberação eram muito agressivas, perderam toda a graça, tudo o que partia da intuição. Porque, se você tem de lutar contra os homens, tem de aprender os mesmos truques; se tiver de lutar contra os homens, você terá de lutar com as mesmas técnicas.

Lutar contra qualquer um é muito perigoso, porque você acaba se tornando como o seu inimigo. Esse é um dos maiores problemas da humanidade. Quando você luta contra alguém, pouco a pouco você usa as mesmas técnicas e os mesmos meios. Então o inimigo pode ser derrotado, mas no momento em que ele for derrotado você terá se tor-

INTUIÇÃO

nado o seu próprio inimigo. Stálin era mais parecido com um czar que qualquer czar, mais violento que qualquer czar. É claro que tinha de ser assim: para derrubar os czares, eram necessárias pessoas muito violentas, mais violentas do que o próprio czar. Só elas se tornariam revolucionárias, chegariam ao topo. No momento em que chegaram lá, elas se tornaram também czares, e a sociedade continuou no mesmo caminho. Só as coisas superficiais mudaram, no fundo o mesmo conflito permaneceu.

O conflito está no homem. A menos que seja resolvido ali, não poderá ser resolvido em nenhum outro lugar. A política está dentro de você; ela está entre as duas partes da mente.

Existe uma pequena ligação. Se essa ligação for interrompida por algum acidente, por meio de algum defeito fisiológico ou alguma outra coisa, a pessoa se torna dividida, torna-se duas pessoas e acontece o fenômeno da esquizofrenia ou "personalidade dividida". Se a ligação for rompida — e essa ligação é muito frágil — então você se torna dois, você se comporta como duas pessoas. De manhã você é muito carinhoso, muito bonito; à noite você está irado, absolutamente diferente. Você não se lembra da sua manhã — como poderá se lembrar? Outra mente estava funcionando — e a pessoa se torna duas pessoas. Se essa ligação for fortalecida a tal ponto que as duas mentes desapareçam como duas e se tornem uma, então surge a integração, a cristalização. O que George Gurdjieff costumava chamar de "cristalização do ser" não é nada além dessas duas mentes tornando-se uma só, a reunião do masculino e do feminino interiores, a reunião de yin e yang, a reunião de esquerda e direita, a reunião de lógica e ilógica, a reunião de Platão e Aristóteles.

Se você entender essa bifurcação básica na sua árvore mental, então poderá entender todos os conflitos que ocorrem ao redor e dentro de você.

Permita-me contar uma anedota:

AJA COM O LADO FEMININO

Entre os alemães, Berlim é considerada a própria síntese da rudeza e da eficiência prussianas, ao passo que Viena é a essência do charme e da descontração austríaca. Há uma história de um berlinense em viagem a Viena, o qual se perdeu e precisava de informações. O que faria um berlinense? Ele agarrou o primeiro passante pela lapela e gritou:

— A agência do correio: onde fica?

O assustado vienense afastou cuidadosamente o punho do outro, alisou a sua lapela e disse de maneira polida:

— Senhor, não seria mais delicado da sua parte se aproximar educadamente de mim e ter dito: "Senhor, se tiver um momento, e caso saiba, poderia me informar onde fica a agência do correio?"

Surpreso, o berlinense observou-o por um instante, então ruminou:

— Prefiro ficar perdido! — e se afastou.

Naquele ano ainda, o mesmo vienense viajou a Berlim e aconteceu de então ser ele quem precisasse encontrar a agência do correio. Aproximando-se de um berlinense, ele disse polidamente:

— Senhor, se tiver um momento, e caso saiba, poderia me informar onde fica a agência do correio?

Com uma rapidez mecânica, o berlinense replicou:

— Depois da praça, dois quarteirões à frente, dobre à direita, siga por mais um quarteirão, atravesse a rua, vire à direita, atravesse os trilhos do trem e o correio fica atrás da banca de jornal.

O vienense, mais confuso que esclarecido, assim mesmo murmurou:

— Muito agradecido, meu senhor.

Diante do que o berlinense agarrou-o furiosamente pela lapela e gritou:

— Não se incomode em agradecer: repita as instruções!

A mente masculina, o berlinense; a mente feminina, o vienense. A mente feminina tem graça, a mente masculina tem eficiência. E é claro que a longo prazo, se houver uma luta constante, a graça tenderá a ser derrotada e a mente eficiente irá vencer, porque o mundo entende a linguagem da matemática, não do amor. Mas no instante em que a sua eficiência vence a graça, você perdeu alguma coisa imensamente valiosa: você perdeu contato com o seu próprio ser. Você pode se tornar muito eficiente, mas não será mais uma pessoa de verdade. Você irá se tornar uma máquina, uma coisa parecida com um robô.

Por causa disso há um conflito constante entre os homens e as mulheres. Eles não podem viver separados, têm de manter um relacionamento constante, mas não podem permanecer juntos tampouco. A luta não é no exterior, a luta é dentro de você.

E é assim que eu penso: a menos que você resolva a sua luta interior entre os hemisférios direito e esquerdo, nunca será capaz de amar em paz — nunca —, porque a luta interior se refletirá no exterior. Se você estiver lutando internamente e estiver identificado com o hemisfério esquerdo, o hemisfério da razão, e estiver continuamente tentando derrubar o hemisfério direito, tentará fazer o mesmo com a mulher por quem se apaixonou. Se a mulher estiver continuamente lutando com a própria razão interior, não vai parar de lutar contra o homem a quem ama.

Todos os relacionamentos — quase todos, as exceções são desprezíveis, podem ser desconsideradas — são horríveis. No início eles são lindos... no início você não mostra a realidade, no início você finge. Assim que o relacionamento se estabiliza e vocês relaxam, seu conflito interior começa a ferver e a se espelhar no relacionamento. Então acontecem as brigas, surgem mil e uma maneiras de aborrecer um ao outro, destruindo-se mutuamente.

As pessoas me procuram e perguntam o que deveriam fazer para se aprofundar num relacionamento. Eu digo a elas: "Primeiro, mergulhe na meditação." A menos que você esteja resolvido internamente, criará mais problemas do que já tem. Se você começar um relacionamento, todos os seus problemas serão multiplicados. Apenas observe: a

AJA COM O LADO FEMININO

coisa mais importante e mais linda do mundo é o amor, mas você pode encontrar alguma coisa mais horrível, mas infernizante?

O Mulla Nasruddin uma vez me disse:
— Bem, tenho postergado o maldito dia há meses, mas desta vez não há escapatória.
— Dentista ou médico? — indaguei.
— Nenhum dos dois — informou ele. — Vou me casar.

As pessoas evitam o casamento, as pessoas procuram adiá-lo. Um dia, quando acham impossível postergá-lo, então elas relaxam. Se você está de fora, o casamento pode parecer como um lindo oásis no deserto — mas, assim que você se aproxima, o oásis começa a secar e a desaparecer. Assim que você é pego por ele, ele é uma prisão — mas lembre-se, a prisão não parte do outro, ela vem de dentro de você.

Se o hemisfério esquerdo do cérebro continuar dominando você, você vai viver uma vida muito bem-sucedida — tão bem-sucedida que no momento em que tiver quarenta anos estará com úlcera; quando tiver quarenta e cinco, terá tido no mínimo um ou dois ataques cardíacos. Quando chegar aos cinqüenta, estará quase morto — mas um morto de sucesso! Você pode se tornar um grande cientista, mas nunca se tornará um grande ser. Você pode acumular riqueza suficiente, mas vai perder tudo o que tem valor. Você pode conquistar o mundo inteiro como Alexandre, mas o seu próprio território interior vai permanecer inconquistado.

Há muitas atrações para seguir o hemisfério esquerdo. Esse é o cérebro mundano; ele é mais preocupado com as coisas — carros, dinheiro, casas, poder, prestígio. Essa é a orientação do homem que na Índia nós chamamos de *grustha*, o chefe de família.

O hemisfério direito é a orientação do *sannyasin*, aquele que está mais interessado no seu próprio ser interior, na sua paz interior, na sua felicidade, e está menos preocupado com as coisas. Se elas vierem facilmente, muito bem; se não vierem, também está bem. Ele está mais preocupado com o momento, menos preocupado com o futuro; mais preocupado com a poesia da vida, menos preocupado com a racionalidade dela.

Ouvi uma anedota:

Finkelstein ganhou uma bolada na corrida de cavalos e Muscovitz, muito compreensivelmente, o invejou:

— Como você conseguiu isso, Finkelstein? — quis saber.

— Foi fácil — contou Finkelstein. — Foi um sonho.

— Um sonho?

— Foi. Eu pensava em fazer uma aposta acumulada em três cavalos, mas não estava certo quanto ao terceiro cavalo. Então, na noite anterior, sonhei que um anjo aparecia na cabeceira da minha cama e me dizia: "Bem-aventurado, Finkelstein, sete vezes sete bem-aventurado." Quando acordei, entendi que sete vezes sete é quarenta e oito e que o cavalo de número setenta e oito era *Sonho Celestial*. Defini o *Sonho Celestial* como o terceiro cavalo da minha acumulada e ganhei, simplesmente ganhei.

Muscovitz disse:

— Mas, Finkelstein, sete vezes sete é quarenta e nove!

Então Finkelstein concluiu:

— Neste caso, o matemático é você.

Existe a maneira de seguir a vida pela aritmética e existe outra maneira de seguir a vida pelo sonho, pelos sonhos e visões. Elas são totalmente diferentes.

Ainda outro dia alguém me perguntou: "Existem fantasmas, fadas e entidades parecidas?" Sim, existem — se você seguir o hemisfério direito do cérebro, elas existem. Se você seguir o hemisfério esquerdo, elas não existem. Todas as crianças são do hemisfério direito; elas vêem fan-

AJA COM O LADO FEMININO

139

tasmas e fadas por todo lado. Mas você fala com elas e as coloca em seu devido lugar dizendo: "Isso é um absurdo! Você é uma idiota. Onde está a fada? Não existe isso, é apenas uma sombra." Pouco a pouco você convence a criança, a pobre criança indefesa — pouco a pouco você a convence e ela passa da orientação pelo hemisfério direito para a orientação pelo hemisfério esquerdo. Ela tem de fazer isso: tem de viver no seu mundo. Ela tem de esquecer os seus sonhos, tem de esquecer todos os mitos, tem de esquecer toda a poesia, tem de aprender matemática. É claro que ela se torna eficiente em matemática — e se torna quase inutilizada e paralisada na vida. A vida continua oferecendo mais e mais oportunidades e ela se torna apenas uma mercadoria no mercado, toda a sua vida se torna apenas um lixo... embora, é claro, valiosa aos olhos do mundo.

Um *sannyasin* é aquele que vive por meio da imaginação, que vive por meio da característica onírica da sua mente. Quem vive por meio da poesia, quem poetiza a vida, quem vê através de visões... então as árvores são mais verdes do que parecem a você, então os pássaros são mais bonitos, então tudo adquire uma característica luminosa. Os seixos comuns tornam-se diamantes; as pedras comuns não são mais comuns — nada é comum! Se você olhar a partir do hemisfério direito, tudo se torna divino, sagrado.

Um homem estava sentado com um amigo numa cafeteria tomando um chá. Ele olhou para a xícara de chá e suspirou.

— Ah, meu amigo, a vida é como uma xícara de chá.

O outro considerou aquilo por um instante e depois indagou:

— Mas por quê? Por que a vida é como uma xícara de chá?

O primeiro homem replicou:

— Como eu vou saber? Acaso eu sou um filósofo?

140 INTUIÇÃO

O hemisfério direito só faz declarações sobre fatos, não pode lhe dar as razões. Se você perguntar por que, ele só poderá ficar em silêncio, sem lhe dar uma resposta. Se você estiver caminhando e encontrar uma flor de lótus, poderá exclamar: "Que lindo!" e alguém perguntar: "Por quê?" — o que você faz? Você diz: "Como vou saber? Acaso eu sou um filósofo?"

É uma afirmação simples, uma afirmação muito simples, total, completa em si mesma. Não há motivo por trás dela e nenhum resultado além dela, é uma simples declaração de um fato. Leia os Upanixades — eles são declarações simples de fatos. Eles dizem: "Deus *é* — não pergunte por quê." Eles querem dizer: "Acaso somos filósofos? Como vamos saber? Deus *é*." Eles dizem que Deus é lindo, eles dizem que Deus está próximo, mais próximo do que o seu coração, mas não pergunte por que — eles não são filósofos.

Observe os Evangelhos e as declarações de Jesus — são simples. Ele diz: "O meu Deus está no céu. Eu sou o filho dele, ele é o meu pai." Não pergunte por quê. Ele não será capaz de prová-lo num tribunal, ele dirá simplesmente: "Eu *sei*." Se você perguntar a ele quem lhe contou, com que autoridade ele diz essas coisas, ele dirá: "Pela minha própria autoridade. Eu não tenho outra autoridade."

Esse é o problema quando um homem como Jesus aparece no mundo. A mente racional não consegue entender. Ele não foi crucificado por outro motivo. Ele foi crucificado pelo hemisfério esquerdo porque era um homem do hemisfério direito. Ele foi crucificado por causa do conflito interior.

Lao-tsé afirma: "O mundo inteiro parece ser esperto, apenas eu sou um idiota; o mundo inteiro parece certo, apenas eu estou confuso e hesitante." Ele é um homem do hemisfério direito.

O hemisfério direito é o hemisfério da poesia e do amor. É preciso haver uma grande mudança; essa mudança é a transformação inte-

AJA COM O LADO FEMININO

rior. A Yoga é um esforço para alcançar a unidade do ser por meio do hemisfério esquerdo, usando a lógica, a matemática, a ciência, e tentando ir além. O Zen é exatamente o oposto: o objetivo é o mesmo, mas o Zen usa o hemisfério direito para ir além. Ambos podem ser usados, mas seguir a Yoga é um caminho longo, muito longo; é quase uma luta desnecessária, porque você está tentando alcançar a super-razão a partir da razão, o que é mais difícil. O Zen é mais fácil, porque é um esforço para alcançar a super-razão a partir da não-razão. A não-razão é quase como a super-razão — não existem barreiras. A Yoga é como penetrar uma parede e o Zen é como abrir uma porta. A porta pode não estar fechada, você apenas a empurra um pouco e ela se abre.

Agora a história. É uma das mais bonitas entre as anedotas zen. As pessoas zen falam por meio de histórias — elas têm de falar por meio de histórias porque não podem criar teorias e doutrinas, elas só podem contar histórias. Elas são grandes contadoras de histórias. Jesus falava por parábolas, Buda falava por parábolas, os místicos sufis falam por parábolas — não é coincidência. A história, a parábola, a anedota, todas são um método do hemisfério direito: o argumento lógico, a prova, o silogismo, são métodos do hemisfério esquerdo.

Eis a história:

Goso Hoyen costumava dizer: Quando as pessoas me perguntam como é o Zen, eu lhes conto a seguinte história:

Esta história conta de verdade o que é o Zen — sem definir, apenas indicando. Não é possível dar uma definição porque o Zen em sua característica básica é indefinível. Você pode sentir-lhe o gosto, mas não pode defini-lo; você pode vivê-lo, mas a língua não é suficiente para expressá-lo; você pode demonstrá-lo, mas não expressá-lo. No entanto, por meio de uma história, pode-se transmitir uma pequena parte. E es-

142 INTUIÇÃO

ta história realmente indica, indica perfeitamente qual é a característica do Zen.

Esse é apenas um gesto, não o torne uma definição, não filosofe em torno dele, deixe-o ser como um raio, um lampejo de compreensão. Ele não vai aumentar o seu conhecimento, mas pode lhe dar um empurrão, uma sacudidela, uma mudança de postura. Você pode ser jogado de um canto da mente para outro... e esse é o verdadeiro sentido da história.

Percebendo que o pai estava envelhecendo, o filho de um ladrão pediu-lhe que lhe ensinasse o ofício, de modo que pudesse encarregar-se dos negócios da família depois que o pai se aposentasse.

O negócio de um assaltante não é uma coisa científica, é uma arte. Os ladrões são muito parecidos com os poetas; não se pode aprender o seu ofício, o aprendizado não ajuda. Se fosse possível aprender, você seria apanhado, porque então a polícia saberia mais do que você — ela teria acumulado séculos de aprendizado.

Um ladrão nasce feito. Ele vive pela intuição, tem de ter queda para a coisa. Ele vive por meio de golpes — o ladrão é feminino. Ele não é um empresário, ele é um jogador; ele arrisca tudo por quase nada. O negócio dele é todo feito de perigo e riscos. É assim como um homem religioso. As pessoas zen dizem que os religiosos também são como ladrões: em busca de Deus eles também são como ladrões. Não há como alcançar Deus pela lógica, pela razão ou pela sociedade estabelecida, a cultura, a civilização. Eles furam a parede em algum lugar, entram pela porta dos fundos. Se não puderem fazê-lo à luz do dia, vão entrar no escuro. Se não for possível seguir a multidão na rodovia, eles criam o próprio atalho pela floresta. Sim, existe uma certa semelhança. Você pode alcançar Deus apenas se for como um ladrão, um especialista na arte de roubar o fogo, de roubar o tesouro.

AJA COM O LADO FEMININO

O pai estava para se aposentar e o filho pediu: "Antes de se aposentar, me ensine o seu trabalho."

O pai concordou e naquela noite eles invadiram uma casa juntos.

Abrindo uma arca enorme, o pai mandou o filho entrar ali para pegar as roupas. Logo que o rapaz entrou na arca, o pai a fechou e depois fez um grande barulho de modo que todos na casa acordassem. Então ele se esgueirou para fora da casa.

Ele era um verdadeiro mestre, não um ladrão vulgar...

Fechado dentro da arca, o rapaz ficou irado, aterrorizado e confuso...

É claro, naturalmente! Que tipo de ensinamento era aquele? Ele tinha sido atirado a uma situação perigosa. Mas essa é a única maneira de ensinar algo sobre o desconhecido. Essa é a única maneira de ensinar algo do hemisfério direito.

O hemisfério esquerdo pode ser ensinado em escolas: aprender é possível, a disciplina é possível, os cursos graduais são possíveis. Então, pouco a pouco, passando de uma aula a outra, você se torna mestre da arte e da ciência e de muitas coisas. Mas não pode haver escolas para o hemisfério direito: ele é intuitivo, não é gradual. É súbito; é como um lampejo, como um raio na noite escura. Se ele acontecer, aconteceu. Se não acontecer, não aconteceu; nada pode ser feito quanto a ele. Você só pode ficar numa determinada situação em que haja mais possibilidade de que ele aconteça.

É por isso que eu digo que o velho devia ser um verdadeiro mestre.

144 INTUIÇÃO

Fechado dentro da arca, o rapaz ficou irado, aterrorizado e confuso.

Então não havia uma maneira lógica de sair de dentro da arca: ela estava trancada pelo lado de fora, o pai havia feito barulho, toda a casa estava desperta, as pessoas se aproximavam, procurando os intrusos, e o pai tinha fugido. Então existe alguma maneira lógica de sair da arca? A lógica simplesmente fracassa, a razão não tem utilidade. O que você sugere? A mente pára de repente — e é isso que o pai fez, é isso de que se trata. Ele está tentando forçar o filho a uma situação em que a mente lógica se detém, porque um ladrão não precisa de uma mente lógica. Se ele seguisse a mente lógica, seria apanhado cedo ou tarde pela polícia, porque ela também segue a mesma lógica.

Aconteceu durante a Segunda Guerra Mundial. Durante três anos, Adolph Hitler continuou a vencer, e o motivo era que ele era ilógico. Todos os outros países que lutavam contra ele lutavam de maneira lógica. É claro que eles tinham uma grande ciência da guerra, treinamento militar e mais isso e mais aquilo, e eles tinham especialistas que diziam: "Bem, Hitler deve atacar deste lado." E se Hitler pensasse da mesma maneira teria feito o mesmo, porque aquele era o ponto mais vulnerável da defesa inimiga. É claro que o inimigo tinha de ser atacado onde era mais vulnerável — é lógico. Então eles esperavam Hitler no ponto mais vulnerável, ele se reuniam ao redor do ponto mais vulnerável, e ele atacava em outro lugar, de maneira imprevista.

Hitler nem sequer seguia o conselho dos próprios generais; ele tinha um astrólogo que sugeria onde atacar. Ora, isso era algo que nunca fora feito antes — uma guerra não é para ser conduzida por astrólogos! Churchill entendeu isso quando os espiões relataram que eles não venceriam aquele homem porque ele era absolutamente ilógico — aquele astrólogo idiota que não sabia nada de guerra, que nunca havia estado no fronte, estava decidindo coisas, decidindo pelas estrelas... O que tinham as estrelas que ver com uma guerra na terra? Churchill imediatamente indicou um astrólogo real para o rei e eles começaram a seguir o astrólogo real. Então as coisas começaram a entrar nos eixos, porque então *dois* idiotas estavam predizendo o futuro. As coisas começaram a ficar mais fáceis.

Se um ladrão seguir Aristóteles, ele será pego cedo ou tarde, porque a mesma lógica aristotélica é seguida pela polícia. Se você seguir a lógica, então alguém que siga o método lógico poderá pegar você em algum lugar. Um ladrão tem de ser imprevisível; a lógica não é possível. Ele tem de ser ilógico — tanto que ninguém possa prever os seus atos. Mas a ausência de lógica é possível apenas se toda a sua energia passar para o hemisfério direito.

Fechado dentro da arca, o rapaz ficou irado, aterrorizado e confuso, sem saber como faria para sair.

"Como" é uma questão lógica. Por isso ele estava aterrorizado, porque não havia um meio — o "como" era simplesmente impotente.

Então ele teve uma idéia — agora, essa é uma mudança. Apenas em situações de perigo, em que não pode funcionar, o hemisfério esquerdo permite, como um último recurso, que o hemisfério direito se manifeste. Quando não pode funcionar, quando sente que não há mais para onde ir, que é chegada a derrota, então ele diz por que não dar uma oportunidade à porção oprimida, aprisionada da mente? Não custa darlhe uma oportunidade. Quem sabe... não haja nenhum perigo.

Então ocorreu-lhe uma idéia — ele resolveu fazer ruídos imitando um gato.

INTUIÇÃO

Ora, isso não é lógico. Fazer ruídos imitando um gato? Simplesmente é uma idéia absurda. Mas funcionou.

A família mandou que uma empregada pegasse uma vela e fosse examinar a arca.

Quando a fechadura foi aberta o rapaz saiu de dentro, apagou a vela, passou correndo pela empregada assustada e fugiu. As pessoas correram atrás dele.

O rapaz, percebendo um poço ao lado da estrada, atirou ali uma pedra pesada e sumiu na noite escura. Os perseguidores cercaram o poço tentando ver o ladrão se afogando.

Isso também não tem que ver com a mente lógica. Porque a mente lógica precisa de tempo — a mente lógica precisa de tempo para prosseguir, para pensar, para questionar essa ou aquela saída, todas as alternativas. E há mil e uma alternativas. Mas quando você está numa situação dessas não há tempo para pensar. Se as pessoas estão perseguindo você, como você pode pensar? Pensar é bom quando você está sentado numa poltrona. Com os olhos fechados você pode filosofar, pensar e argumentar, a favor disso e contra aquilo, os prós e os contras. Mas quando as pessoas estão perseguindo você e a sua vida corre perigo, você não tem tempo para pensar — só para viver o momento, e acaba se tornando espontâneo. Não é que ele tenha *decidido* atirar a pedra, isso simplesmente *aconteceu*. Não foi uma conclusão, ele não estava pensando sobre o que fazer, ele simplesmente se viu fazendo. Ele atirou a pedra no poço e se escondeu no escuro. E os perseguidores pararam, pensando que o ladrão havia se afogado no poço.

Quando o rapaz chegou em casa, indignado com o pai, começou a contar-lhe o que acontecera; mas o pai o interrompeu:

AJA COM O LADO FEMININO

— Não se incomode em me contar os detalhes. Você está aqui... aprendeu o ofício.

Qual é o sentido em comentar os detalhes? Eles são inúteis.

Os detalhes são inúteis na medida em que se trata da intuição, porque a intuição não é uma repetição. Os detalhes são significativos no que se refere à lógica; portanto, as pessoas lógicas entram em minúcias, de modo que se a mesma situação se repetir elas tenham o controle e saibam o que fazer. Mas na vida de um ladrão a mesma situação nunca acontece de novo.

E na vida real também a mesma situação nunca se repete. Se você tem conclusões na mente, você se torna quase morto, não vai responder. Na vida, a resposta é necessária, não a reação; você tem de agir de surpresa, sem nenhuma conclusão preestabelecida. Sem nenhum centro você tem de agir — você tem de agir no desconhecido a partir do desconhecido.

E isso é o que Goso Hoyen costumava dizer quando as pessoas lhe perguntavam como é o Zen. Essa história é a que ele contaria. O Zen é exatamente como uma invasão de domicílio para roubar! É uma arte, não uma ciência. É feminino, não masculino; não é agressivo, é receptivo. Não é uma metodologia bem planejada; é espontaneidade. Não tem nada que ver com teorias, hipóteses, doutrinas, escrituras; é algo a fazer com apenas uma coisa, e essa coisa é a consciência, a atenção.

O que aconteceu naquele momento em que o rapaz ficou preso dentro da arca? Numa situação de perigo como aquela não se pode cochilar, numa situação de perigo a sua consciência torna-se muito aguçada — ela tem de sê-lo. A vida está em jogo, você está totalmente alerta.

É assim que se deve estar, totalmente alerta a todo momento. E quando você está totalmente alerta, essa mudança acontece. A partir do hemisfério esquerdo a energia passa para o hemisfério direito.

148 INTUIÇÃO

Sempre que você está alerta, você se torna intuitivo; ocorrem-lhe lampejos, lampejos do desconhecido, de repente. Você pode não acompanhá-los — então perderá bastante.

Sempre que você estiver num aperto desses em que a sua lógica falha, não desespere, não fique desanimado. Esses momentos podem trazer as maiores bênçãos à sua vida. Esses são os momentos em que o esquerdo permite que o direito se manifeste. Então a parte feminina, a parte receptiva lhe dá uma idéia. Se você a seguir, muitas portas irão se abrir. Mas é possível que você perca a oportunidade; pode ser que você diga: "Que absurdo!"

Aquele rapaz podia ter perdido a oportunidade. A idéia não é muito normal, comum, lógica — fazer ruídos como os de um gato? Para quê? Ele poderia ter questionado: "Por quê?" — e então teria perdido a oportunidade. Mas ele não pôde perguntar, porque a situação era tal que não havia outra saída. Então ele pensou: "Vamos tentar. Que mal pode haver?" Ele usou uma sugestão.

O pai estava certo. Ele disse: "Não entre em detalhes, eles não são importantes. Você voltou para casa, aprendeu o ofício."

Todo esse ofício é como agir de acordo com a parte feminina da mente — porque o feminino está ligado ao todo, e o masculino não está ligado ao todo. O masculino é agressivo, o masculino está constantemente em luta — o feminino está constantemente em rendição, numa confiança profunda. Por isso o corpo feminino é tão belo, tão arredondado. Há uma confiança profunda e uma profunda harmonia com a natureza. A mulher vive em profunda rendição — o homem está constantemente em luta, irado, fazendo isso e aquilo, tentando provar alguma coisa, tentando alcançar alguma coisa.

Pergunte às mulheres se elas gostariam de ir à lua. Elas simplesmente ficariam surpresas — para quê? Qual é o sentido? Por que se dar esse trabalho? A casa já é boa o bastante. A mulher está mais interessa-

AJA COM O LADO FEMININO

da no imediato, aqui e agora, e isso lhe dá uma harmonia, uma graça. O homem está constantemente tentando provar alguma coisa. E se você quiser provar, é claro que você terá de lutar, competir e acumular.

Uma vez uma mulher tentou chamar a atenção do dr. Johnson para conversar com ela, mas ele parecia quase não notá-la.

— Será, doutor — indagou ela maliciosamente —, que o senhor prefere a companhia dos homens à das mulheres?

— Madame — replicou Johnson —, gosto muito da companhia das mulheres. Gosto da beleza delas, gosto da sua delicadeza, gosto da sua vivacidade... e gosto do seu silêncio.

O homem tem tentado forçar a mulher ao silêncio, não só exterior, mas também interiormente — forçando a parte feminina a ficar quieta. Observe-se interiormente. Se a parte feminina diz alguma coisa, você imediatamente avança sobre ela e diz: "Ilógico, absurdo!" O dr. Johnson, estava tentando silenciar a mulher.

O coração é feminino. Você perde muita coisa na sua vida porque a cabeça insiste em ter voz; ela não dá espaço ao coração. E a única qualidade da cabeça é que ela é mais articulada, ardilosa, perigosa, violenta. Por causa da violência dela, ela se tornou o líder interior, e essa liderança interior tornou-se uma liderança exterior entre os homens. Os homens dominaram as mulheres no mundo exterior também; a graça é dominada pela violência.

O Mulla Nasruddin foi convidado para desempenhar uma determinada função numa escola. Haveria uma comemoração com as crianças da escola e na formatura para os festejos as crianças foram alinhadas de acordo com a altura — das mais baixas para as mais altas. Mas o padrão fora quebrado, notou o Mulla, pelo primeiro menino que liderava a procissão. Tratava-se de um rapaz desengonçado, que era uma cabeça mais alto que os outros.

150 INTUIÇÃO

— Por que ele está na frente? — quis saber o Mulla, perguntando para uma garota. — Ele é o líder da escola, da classe, ou alguma coisa parecida?

— Não — sussurrou a menina. — Ele belisca.

A mente masculina belisca, criando problemas — os arruaceiros tornam-se os líderes. Nas escolas, todos os professores sensatos escolhem os maiores desordeiros como os líderes da classe e da escola — os arruaceiros, os criminosos. Depois que estão na posição de comando, toda a energia que eles têm para criar problemas torna-se útil para o professor. Eles começam a organizar a disciplina — as mesmas crianças!

Observe os políticos de todo o mundo: quando um partido está no poder, o partido de oposição começa a criar problemas no país. Eles são os transgressores da lei, os revolucionários, e o partido que está no poder começa a criar a disciplina. No momento em que esse partido sai do poder, *ele* vai criar problemas. E assim que o partido de oposição chega ao poder, ele se torna o guardião da disciplina.

São todos desordeiros.

A mente masculina é um fenômeno encrenqueiro — assim que assume o poder, ela começa a dominar. Mas no fundo, embora você possa chegar ao poder, você perde a vida — e no fundo a mente feminina continua. A menos que você retorne ao feminino e se renda, a menos que a sua resistência e luta tornem-se rendição, você não vai conhecer a verdadeira vida e a sua celebração.

Contaram-me uma anedota:

Uma vez, um cientista americano visitou o escritório do grande físico ganhador do Prêmio Nobel, Niels Bohr, em Copenhague, e ficou impressionado ao descobrir que, acima da mesa dele, havia uma ferradura. Ela estava pregada corretamente à parede, de modo a atrair a boa sorte e não deixar que esta se perdesse.

O americano comentou com uma risada nervosa:

— Com certeza, o senhor não acredita que uma ferradura lhe traga boa sorte, não é, professor Bohr? Afinal de contas, como um grande cientista...

Bohr riu.

— Não acredito nessas coisas, meu bom amigo, não, de maneira nenhuma. Não tenho a menor chance de acreditar numa tolice dessas. No entanto, me disseram que uma ferradura traz sempre boa sorte, independente de se acreditar ou não nisso.

Observe um pouco mais a fundo e logo abaixo da sua lógica você vai encontrar as águas tépidas da intuição, as águas tépidas da confiança, fluindo.

O Zen é o caminho da espontaneidade — o esforço de menor esforço, o caminho da intuição.

Um mestre zen, Ikkyu, um grande poeta, disse uma vez:

Posso ver as nuvens a milhares de quilômetros daqui, ouvir a música antiga nos pinheiros.

É disso que trata o Zen. Você não pode ver as nuvens a milhares de quilômetros de distância com a mente lógica. A mente lógica é como vidro, suja demais, está coberta demais com a poeira das idéias, teorias, doutrinas. Mas você pode ver as nuvens a milhares de quilômetros de distância com o vidro puro da intuição, sem os pensamentos — apenas com a pura consciência. O espelho é limpo e a clareza suprema.

Você não pode ouvir a música antiga nos pinheiros com a mente lógica normal. Como você pode ouvir a música antiga? A música que passou deixou de existir para sempre.

INTUIÇÃO

Mas vou lhe dizer uma coisa, Ikkyu está certo. Você pode ouvir a música antiga nos pinheiros — eu já ouvi —, mas é necessária uma mudança radical, uma mudança de postura. Então você pode ver Buda orando de novo e pode ouvir Buda falando outra vez. Você pode ouvir a música antiga nos pinheiros — porque ela é a música eterna, ela nunca se perde. Você perdeu a capacidade de ouvi-la. A música é eterna; assim que você recupera a sua capacidade, de repente ela está ali de novo. Ela sempre esteve ali, apenas você não estava ali.

Esteja aqui, agora, e poderá ver também as nuvens a milhares de quilômetros de distância, e ouvir a música antiga nos pinheiros.

Mude cada vez mais para o hemisfério direito, torne-se cada vez mais feminino, cada vez mais carinhoso, submisso, confiante, cada vez mais perto do todo. Não tente ser uma ilha — torne-se parte do continente.

CAPÍTULO 10

MUDE DO PENSAMENTO PARA O SENTIMENTO

O intelecto é uma coisa densa, a inteligência é mais completa. O intelecto é emprestado, a inteligência é sua. O intelecto é lógico, racional; a inteligência é mais do que lógica. Ela é superlógica, ela é intuitiva. A pessoa intelectual vive apenas por meio da argumentação. Com certeza, os argumentos podem levar você até um determinado ponto, mas além disso são necessários palpites.

Até mesmo os grandes cientistas que trabalham com a razão chegam a um ponto em que a razão não funciona, em que eles esperam por algum palpite, por algum lampejo intuitivo, por uma luz do desconhecido. E isso sempre acontece: se você trabalhou intensamente com o intelecto, e não pensa que o intelecto é tudo, e está aberto ao além, algum dia algo lhe sucede como um raio. Isso não é seu; e ainda assim é seu porque não é de mais ninguém. Isso vem do seu centro mais profundo. Parece que vem do além porque você não sabe onde fica o centro da sua intuição.

A palavra sânscrita *sadhumati* é muito bonita. *Mati* significa inteligência e *sadhu* significa sábio, sensato, razoável: sábia inteligência. Não apenas inteligência, mas inteligência sábia, sensata, razoável. Há pessoas que podem ser racionais, mas não são razoáveis — ser razoável é mais do

INTUIÇÃO

que ser racional. Às vezes, a pessoa razoável está pronta para aceitar o irracional também — porque é razoável. Ela pode entender que o irracional também existe. A pessoa racional pode nunca entender que o irracional também existe. Ela só pode acreditar no silogismo lógico, limitado.

Mas existem coisas que não podem ser provadas logicamente, e ainda assim elas existem. Todo mundo sabe que elas existem, e ninguém nunca foi capaz de provar a sua existência. O amor existe — ninguém nunca foi capaz de provar que ele existe, ou que não existe. Mas todo mundo sabe — o amor existe. Até mesmo as pessoas que negam — elas não estão prontas para aceitar nada além da lógica — até mesmo elas se apaixonam. Quando elas se apaixonam, então elas se vêem em dificuldade, elas se sentem culpadas.

Mas o amor existe.

E ninguém nunca é satisfeito pelo intelecto sozinho, a menos que o coração também esteja contente. Existem duas polaridades dentro de você: a cabeça e o coração.

* * *

A inteligência é a capacidade inata de ver, de perceber. Toda criança nasce inteligente, então é tornada estúpida pela sociedade. Nós a educamos na estupidez, e cedo ou tarde ela se forma em estupidez.

A inteligência é um fenômeno natural — assim como respirar, assim como enxergar. A inteligência é a visão interior; ela é intuitiva. Ela não tem nada que ver com o intelecto, lembre-se. Nunca confunda intelecto com inteligência, são polaridades opostas. O intelecto é da cabeça; ele é ensinado pelos outros, é imposto a você. Você tem de cultivá-lo. Ele é emprestado, é uma coisa estranha, não é inato.

Mas a inteligência é inata. Ela é o seu verdadeiro ser, a sua verdadeira natureza. Todos os animais são inteligentes. Eles não são intelec-

MUDE DO PENSAMENTO PARA O SENTIMENTO *155*

tuais, é verdade, mas são todos inteligentes. As árvores são inteligentes, toda a vida é inteligente, e toda criança nasce inteligente. Alguma vez você encontrou uma criança estúpida? É impossível! Mas encontrar uma pessoa crescida que seja inteligente é muito raro; algo deu errado nesse intervalo.

Um amigo me enviou esta linda história. Eu gostaria que você a conhecesse; ela pode ajudar. A história se intitula "A Escola Animal".

Um dia os animais se reuniram na floresta e decidiram criar uma escola.

Havia um coelho, um pássaro, um esquilo, um peixe e uma enguia, e eles formaram uma Diretoria. O coelho insistiu na inclusão da corrida no currículo. O pássaro insistiu na inclusão do vôo no currículo. O peixe insistiu na inclusão da natação no currículo. E o esquilo disse que a subida perpendicular em árvores era absolutamente necessária ao currículo. Eles juntaram todas essas coisas e escreveram um roteiro do currículo. Então insistiram em que todos os animais aprendessem todas as matérias.

O coelho, embora tirasse um "A" em corrida, teve uma enorme dificuldade em subida perpendicular em árvores. Ele sempre caía de costas. Logo ele teve um tipo de dano cerebral e não conseguiu mais correr. Ele descobriu que, em vez de tirar "A" em corrida, estava tirando "C", e, é claro, sempre tirou "F" na subida perpendicular. O pássaro saiu-se maravilhosamente bem em vôo, mas quando teve de escavar o chão ele não se saiu tão bem. Sempre quebrava o bico e as asas. Logo ele estava tirando "C" em vôo, além de "F" em cavar tocas, e todas as suas tentativas de subida perpendicular em árvores foram um fracasso.

Por fim, o animal que concluiu o curso e fez o discurso de formatura foi a enguia, que era mentalmente retardada e conseguira fazer um pouco de todas as matérias mais ou menos pela metade. Mas os educadores ficaram contentes porque todos estavam recebendo aulas sobre todas as matérias e aquilo foi chamado de uma "educação abrangente".

Nós rimos da história, mas é assim que as coisas são. É o que aconteceu com você. Nós realmente estamos tentando fazer todo mundo igual a todo mundo, por isso destruímos o potencial de todos para serem eles mesmos.

A inteligência morre na imitação dos outros. Se você quer permanecer inteligente, então terá de parar de imitar. A inteligência comete suicídio ao copiar, ao tornar-se uma cópia carbono. No momento em que você começa a pensar em como ser como outra pessoa, você está perdendo a sua inteligência, está se tornando um idiota. No momento em que você se compara a outra pessoa, você está perdendo o seu potencial natural. Então você jamais será feliz, e nunca poderá ser puro, claro, transparente. Você vai perder a sua clareza, você vai perder a sua visão. Você terá tomado olhos emprestados; mas como poderá ver através dos olhos de outra pessoa? Você precisa dos seus próprios olhos, precisa das suas próprias pernas para andar, do seu próprio coração batendo.

As pessoas estão vivendo uma vida emprestada, por isso a sua vida está paralisada. Essa paralisia faz com que se pareçam muito estúpidas.

O mundo precisa de um tipo totalmente novo de educação. A pessoa que nasce para ser poeta se mostra um idiota em matemática e a pessoa que poderia ter sido um grande matemático fica enjoada com história e se sente perdida. Tudo está de cabeça para baixo porque a educação não está de acordo com a natureza das pessoas. Ela não respeita o indivíduo, ela força todo mundo a adquirir um determinado padrão. Talvez por acidente o padrão sirva para algumas pessoas, mas a maioria está perdida e a maioria vive infeliz.

A maior infelicidade na vida é sentir-se um idiota, indigno, imbecil — e ninguém nasce imbecil; ninguém pode nascer imbecil porque nós somos um produto da vida. A vida é inteligência pura. Nós carregamos um certo tempero, uma certa fragrância do além quando chegamos a este mundo. Mas a sociedade imediatamente avança sobre nós,

MUDE DO PENSAMENTO PARA O SENTIMENTO 157

começa a nos manipular, ensinar, mudar, cortar, acrescentar e logo perdemos toda a nossa forma, a nossa feição peculiar. A sociedade quer que sejamos obedientes, conformistas, ortodoxos. É assim que a sua inteligência é destruída.

Essa é a cela de prisão em que você está vivendo — e não pode se livrar dela. Será difícil se livrar porque você se acostumou a ela. Será difícil se livrar porque ela não é como uma roupa; ela se tornou quase a sua pele, você vive com ela há muito tempo. Será difícil se livrar porque essa é toda a sua identidade — mas você tem de se livrar dela se quiser realmente reclamar o seu ser verdadeiro.

Se você realmente quiser ser inteligente, terá de ser um rebelde. Apenas a pessoa rebelde é inteligente. O que quero dizer com rebelião? — quero dizer livrar-se de tudo o que lhe impingiram contra a sua vontade. Buscar de novo aquilo que você é, começar de novo do ABC. Pensar que o seu tempo, até agora, foi desperdiçado porque você só estava imitando, seguindo orientações.

Nenhuma pessoa é semelhante a nenhuma outra, cada uma é única, exclusiva — essa é a natureza da inteligência — e cada uma é incomparável. Não se compare a ninguém. Como poderia se comparar? Você é você e o outro é o outro. Vocês não são semelhantes, portanto não é possível fazer comparações.

Mas nos ensinaram a nos comparar e estamos constantemente nos comparando. De maneira direta, indireta, consciente, inconsciente, passamos a vida nos comparando. E se você se compara nunca irá se respeitar: alguém é mais bonito que você, alguém é mais alto que você, alguém é mais saudável que você, e alguém é algo mais; alguém tem uma voz musical... e você vai ficar cada vez mais oprimido se continuar comparando. Existem milhões de pessoas; você vai se esmagar com as suas comparações.

E você tinha uma alma linda, um ser lindo que queria desabrochar, que queria se tornar uma flor no jardim, mas você nunca permitiu.

Livre-se da opressão, das cargas. Ponha tudo isso de lado. Recupere, reivindique a sua inocência, a sua infância. Jesus estava certo quando disse: "A menos que você renasça, não entrará no reino de Deus." Eu lhe digo a mesma coisa: a menos que você renasça...

Livre-se de todo o lixo que lhe impingiram. Renove-se, recomece lá do começo, e ficará surpreso com a inteligência que imediatamente estará a seu dispor.

A inteligência é a capacidade de ver, de entender, de viver a sua própria vida de acordo com a sua natureza. Isso é que é a inteligência. E o que é a estupidez? Seguir os outros, imitar os outros, obedecer aos outros. Olhar através dos olhos dos outros, tentar absorver o conhecimento dos outros como sendo seu — isso é estupidez.

É por isso que os intelectuais e eruditos quase sempre são pessoas estúpidas. Eles são papagaios, eles repetem. Eles são como fitas gravadas. Eles podem repetir a habilidade, mas deixe aparecer uma nova situação, algo que não esteja escrito nos seus livros, e eles estarão perdidos. Eles não têm inteligência nenhuma. A inteligência é a capacidade de responder a todo momento à vida enquanto esta acontece, não de acordo com um programa.

Só as pessoas imbecis têm um programa. Elas são temerosas; elas sabem que não têm inteligência suficiente para enfrentar a vida como ela é. Elas têm de estar prontas, elas ensaiam. Elas preparam a resposta antes da pergunta ter sido feita — e é assim que provam que são estúpidas, porque a pergunta nunca é a mesma. A pergunta é sempre nova. Cada dia traz os seus próprios problemas, os seus próprios desafios, e cada momento traz as suas próprias perguntas. E se você tiver respostas pré-fabricadas na sua cabeça, não será capaz nem de ouvir a pergunta. Você estará tão ocupado com a sua resposta que será incapaz de ouvir. Você não estará disponível. E o que quer que faça será de acordo com a

MUDE DO PENSAMENTO PARA O SENTIMENTO 159

sua resposta pré-fabricada — que é irrelevante, que não tem relação com a realidade como ela é.

A inteligência se relaciona com a realidade, é desprevenida. E a beleza de enfrentar a vida desprevenido é imensa. Então a vida adquire um frescor, uma juventude; a vida adquire um novo fluxo e um novo vigor. Então a vida oferece muitas surpresas. E quando a vida oferece tantas surpresas, o tédio nunca se abate sobre você.

A pessoa estúpida está sempre entediada. Ela está entediada por causa das respostas que colecionou com os outros e continua repetindo. Ela está entediada porque os seus olhos estão tão cheios de conhecimento que ela não consegue ver o que está acontecendo. Ela sabe muito sem saber nada. Ela não é sábia, ela é apenas instruída. Quando olha para uma rosa, ela não vê *aquela* rosa. Todas as rosas sobre as quais ela leu, todas as rosas de que os poetas falaram, todas as rosas que os pintores pintaram e os filósofos discutiram, e todas as rosas de que ela ouviu falar surgem diante dos olhos dessa pessoa — uma grande fila de lembranças, informações. Aquela rosa na frente dela se perde em toda aquela fila, em toda aquela multidão. Ela não consegue ver. Ela simplesmente repete; ela diz: "Esta rosa é linda." E essas palavras também não são dela, não são autênticas, nem sinceras, nem verdadeiras. É a voz de outra pessoa... ela está apenas tocando o que foi gravado.

A estupidez é repetição, repetir os outros. É fácil, é inferior, é desprezível, porque você não precisa aprender. Aprender é árduo. É preciso coragem para aprender. Aprender significa que se tem de ser humilde. Aprender significa que se tem de estar pronto para livrar-se do que é velho, tem-se de estar constantemente pronto para aceitar o novo. Aprender significa um estado não-egoísta.

E nunca sabemos aonde o aprendizado nos levará. Não podemos fazer previsões sobre o aprendizado; a nossa vida permanece imprevisível. Nós não conseguimos predizer o que vai acontecer amanhã, aonde iremos amanhã. Andamos num estado de não-conhecimento, de desconhecimento. Só quando vivemos num estado de desconhecimento, um estado constante de desconhecimento, é que aprendemos de verdade.

É por isso que as crianças aprendem maravilhosamente. À medida que elas crescem, param de aprender, porque o conhecimento se acumula e é fácil repeti-lo. Por que se incomodar? É fácil, simples, seguir o padrão, andar num círculo. Mas então vem o tédio. A estupidez e o tédio andam juntos.

A pessoa inteligente é tão fresca quanto as gotas do orvalho ao sol da manhã, tão fresca quanto as estrelas no céu noturno. Pode-se sentir o seu frescor, tão novo, como uma brisa.

A inteligência é a capacidade de renascer continuamente. Morrer para o passado é inteligência, e viver no presente é inteligência.

Na verdade, a inteligência da cabeça não é inteligência; é cultura, instrução. A inteligência do coração é que é inteligência *mesmo*, a única inteligência que existe. A cabeça é apenas um acumulador. Ela é sempre velha, nunca é nova, nunca é original. Ela é boa para determinados propósitos; para arquivar, ela é perfeita. E, na vida, isso é preciso — temos de nos lembrar de muitas coisas. A mente, a cabeça é um biocomputador. Você pode seguir acumulando conhecimento nele e sempre que precisar poderá recorrer a ele. Ele é bom para matemática, bom para calcular, bom para a vida cotidiana, o mercado. Mas se você pensa que essa é toda a sua vida, então você permanecerá estúpido. Você nunca vai conhecer a beleza de sentir e nunca conhecerá a bênção do coração. E você nunca conhecerá a graça que sobrevém apenas pelo coração, a divindade que entra apenas através do coração. Você nunca saberá rezar, nunca conhecerá a poesia, nunca conhecerá o amor.

A inteligência do coração dá poesia à sua vida, dá a dança aos seus pés, torna a sua vida uma alegria, uma celebração, uma festa, uma risada. Ela lhe dá um senso de humor. Ela o torna capaz de amar, de com-

MUDE DO PENSAMENTO PARA O SENTIMENTO

partilhar. Essa é a verdadeira vida. A vida que é vivida com a cabeça é uma vida mecânica. Você se torna um robô — talvez muito eficiente; os robôs são muito eficientes, as máquinas são mais eficientes que o homem. Você pode ganhar muito com a cabeça, mas não viverá muito. Você pode ter um padrão de vida melhor, mas não terá vida nenhuma.

A vida é a do coração. A vida só pode se desenvolver a partir do coração. Ela está no solo do coração onde brota o amor, onde brota a vida, onde brota a divindade. Tudo isso é belo, tudo isso é realmente valioso, tudo isso é importante, significante, vem do coração. O coração é o seu verdadeiro centro, a cabeça é apenas a sua periferia. Viver com a cabeça é viver na circunferência sem nunca tomar conhecimento das belezas e dos tesouros do centro. Viver na periferia é estupidez.

Viver com a cabeça é estupidez, e viver com o coração e usar a cabeça sempre que for preciso é inteligência. Mas o centro, o senhor, está no verdadeiro âmago do seu ser. O senhor é o coração e a cabeça é apenas um servo — isso é inteligência. Quando a cabeça se torna o senhor e esquece tudo sobre o coração, isso é estupidez.

Depende de você escolher. Lembre-se, a cabeça como escravo é bela, de muita utilidade, mas como senhor ela é perigosa e vai envenenar toda a sua vida. Olhe ao seu redor! A vida das pessoas está absolutamente envenenada, envenenada pela cabeça. Elas não conseguem sentir, elas não são mais sensíveis, nada as emociona. O sol nasce, mas nada nasce nelas; elas olham para o sol nascente com os olhos vazios. O céu se enche de estrelas — a maravilha, o mistério! — mas nada se agita no coração delas, ali não brota nenhuma canção. Os pássaros cantam, o homem se esqueceu de cantar. As nuvens passam no céu e os pavões dançam, e o homem não sabe mais dançar. Ele se tornou inválido, incapacitado. As árvores florescem. O homem pensa, nunca sente, e sem sentir não há florescimento possível.

INTUIÇÃO

Olhe, investigue, observe, veja a sua vida com novos olhos. Ninguém vai ajudar você. Você depende dos outros há tanto tempo; é por isso que se tornou tão estúpido. Então, cuidado; a responsabilidade é sua. Você deve a si mesmo observar profundamente o que está fazendo com a sua vida. Há alguma poesia no seu coração? Se não houver, então não perca tempo. Ajude o seu coração a compor e tecer poesia. Há alguma paixão na sua vida ou não? Se não houver, então você já morreu, você já está na sua sepultura.

Saia de dentro dela! Deixe entrar algum romantismo na sua vida, algo como uma aventura. Explore! Milhões de belezas e esplendores estão esperando por você. Você continua dando voltas e voltas, nunca entrando no templo da vida. A porta é o coração.

Lembre-se, essa mudança tem de ocorrer: do pensamento você tem de passar ao sentimento. O sentimento é mais próximo, mais próximo a algo em você que é chamado de intuição. O pensamento é o ponto mais distante da intuição. Você tem de aprender com os outros — isso é ser tutelado. Algo que não tenha sido ensinado a você e brote em você, isso é intuição. Ninguém ensinou a você, nenhuma escola, nenhuma universidade, nenhuma faculdade; ninguém disse nada sobre isso a você, isso explode em você — isso é intuição. Você não precisa ir a parte alguma, só precisa entrar dentro de si mesmo.

O sentimento é mais próximo da intuição. Eu não espero o impossível, não digo "seja intuitivo e pronto" — isso você não consegue fazer. Então, se você puder fazer isso — passar do pensamento ao sentimento — será o bastante. Então, do sentimento à intuição é muito fácil. Mas passar do pensamento à intuição é muito difícil. Eles não se encontram, são polaridades. O sentimento está exatamente no meio. Do sentimento, o pensamento e a intuição estão à mesma distância. Se você for por um lado, chegará ao pensamento; se for pelo outro, chegará à intuição.

No sentimento, ambos se encontram e se fundem. Algo do pensamento permanece no sentimento, e algo da intuição também.

CAPÍTULO 11

RELAXE

Tudo o que é importante na ciência resultou não do intelecto, mas da intuição. Todas as grandes descobertas, todos os grandes avanços, vieram do além — desde Arquimedes a Albert Einstein.

Você conhece a história de Arquimedes — a descoberta aconteceu quando ele estava deitado na banheira, tomando um banho quente, e de repente, quando estava relaxado... Havia dias que ele andava preocupado — o rei do país tinha uma linda coroa de ouro e queria saber se ela era feita totalmente de ouro, ou se era feita de algum tipo de liga com outro material. E queria saber sem que a coroa fosse destruída. Então isso era um enigma: como determinar a resposta? Como saber que proporção da coroa era de ouro e que proporção de algum outro metal? Ele fez o máximo possível; varou noites sem dormir e não havia esperança de encontrar a resposta. Mas ela apareceu.

A banheira estava cheia. Quando Arquimedes entrou na banheira, uma parte da água extravasou — e num lampejo, como num raio, ocorreu-lhe a idéia: "A água que saiu da banheira deve ter alguma coisa a ver com o meu peso." E a coisa clicou: "Então, se nós pusermos ouro numa banheira cheia de água, uma parte da água vai sair. Essa água deverá ter algo a ver com a quantidade de ouro."

164   INTUIÇÃO

E ele ficou muito emocionado. Ele estava nu — mas esqueceu quanto à sua nudez, tamanho era o seu êxtase. Ele saiu pelas ruas gritando:

— Heureca! Heureca! Eu descobri! Eu descobri!

Havia sido uma idéia repentina, uma percepção, um *insight,* não uma conclusão intelectual.

Albert Einstein costumava sentar-se na banheira por horas seguidas — talvez exatamente por causa de Arquimedes! Um dos maiores intelectuais indianos, o dr. Ram Manohar Lohia, foi visitá-lo — foi ele que me contou a história. Ele era um dos políticos mais honestos que a Índia já conheceu e um agudo observador das coisas, um grande visionário, um gênio. Ele também estudara na Alemanha, então tinha muitos amigos que conheciam Albert Einstein. Por intermédio de um amigo comum, foi providenciado o encontro. O dr. Lohia chegou exatamente no horário marcado, mas a esposa de Albert Einstein lhe disse:

— O senhor terá de esperar um pouco, porque ele está tomando o seu banho de banheira e ninguém sabe quando ele vai sair de lá.

Meia hora se passou, uma hora se passou, e o dr. Lohia perguntou à esposa:

— Será que vai demorar muito?

Ela respondeu:

— Ninguém sabe. Ele é imprevisível.

— O que será que ele faz, sentado na banheira? — especulou o dr. Lohia.

A mulher começou a rir.

— Ele brinca com as bolhas de sabão.

— Para quê? — estranhou o dr. Lohia.

E ela explicou:

— É brincando com as bolhas de sabão que ele sempre tem certas idéias sobre o que tem pensado e repensado, mas para que não consegue encontrar solução. É sempre na banheira que as idéias ocorrem a ele.

RELAXE

Por que na banheira? É onde se está relaxado.

E o relaxamento é a base da meditação. Você relaxa — quando você relaxa, todas as tensões são eliminadas. A água quente, o silêncio do banheiro, você ali sozinho... E atualmente, no Ocidente, os banheiros são tão lindos que parecem quase como templos. Algumas pessoas chegam mesmo a fazer sala de estar no banheiro! É tão bonito — você pode relaxar, pode meditar. Nesse estado contemplativo, as coisas acontecem. A banheira sempre foi um ótimo estímulo. Todos os grandes cientistas do mundo concordam nesse ponto. Às vezes, você trabalha durante anos numa determinada conclusão sem conseguir chegar a ela, e então um dia, de repente, ali está ela... vinda do nada, do além. Você não sabe dizer se é uma conclusão, não é uma conclusão coisa nenhuma.

A descoberta científica sempre surge a partir da meditação, não da mente. E sempre que algo vem da mente não é ciência, mas apenas tecnologia. A tecnologia é uma coisa pobre; ela não é uma idéia, mas a implementação da idéia. A tecnologia vem da mente, porque a mente em si é um instrumento tecnológico — uma tecnologia biológica. Todas as máquinas surgem da mente, porque a própria mente é uma máquina. Mas nenhuma idéia nunca vem da mente, porque nenhum computador jamais poderia ter uma idéia. As idéias vêm do além. A mente é apenas a superfície do seu ser; as idéias vêm do centro do seu ser. A meditação leva você até o centro.

Portanto, quanto eu digo que a mente é o lugar errado, quero dizer que você não deve se identificar com a mente. Simplesmente não se torne a sua mente — você é mais, muito mais do que a mente. A mente é apenas um pequeno mecanismo em você: use-a, mas não se identifique com ela. Assim como dirige um carro — ele é um mecanismo, você o usa, você não se torna o seu carro. A mente é uma máquina dentro de você, mas não se identifique com ela, não há necessidade. Essa identificação produz um lugar errado. Quando você começa a pensar: "Eu sou a mente", então você está no lugar errado. Se você souber: "Eu não sou a mente, mas o senhor da mente, posso usar a mente", então a mente é uma boa máquina, de um valor imenso. Ela pode gerar uma tecnologia importante.

A ciência deriva da ausência da mente assim como a religiosidade deriva da ausência da mente. As origens tanto da religião quanto da ciência não são independentes, são a mesma origem — porque ambas dependem de avanços, idéias, lampejos intuitivos.

A tecnologia deriva da mente, e a tecnologia religiosa também deriva da mente — Yoga, Mantra, Yantra. A Yoga consiste de posturas corporais que podem ajudar você a mergulhar fundo dentro de si mesmo — elas foram criadas pela mente. Essa é uma tecnologia religiosa. É por isso que a Yoga não faz parte de nenhuma religião. Pode haver uma Yoga cristã, pode haver uma Yoga hinduísta, com certeza existe uma Yoga budista, uma Yoga jainista — pode haver tantas Yogas quantas religiões. A Yoga é apenas uma tecnologia. Nenhuma máquina é hinduísta, nenhuma máquina é muçulmana. Você não vai a uma loja para comprar um carro muçulmano ou um carro hinduísta. As máquinas são simplesmente máquinas. A Yoga é uma tecnologia, o Mantra é uma tecnologia, criados pela mente. Na verdade a palavra *mantra* deriva da mesma raiz que "mente" — ambas derivam da palavra sânscrita para *homem*. Uma ramificação tornou-se "mente", outra ramificação tornou-se "mantra" — ambas fazem parte da mente. A tecnologia científica é criada pela mente, a tecnologia religiosa é criada pela mente. Todos os rituais das religiões — templos, mesquitas, igrejas, preces, escrituras —, todos foram criados pela mente.

Mas o lampejo, a idéia, Buda sentado embaixo da árvore do conhecimento supremo... Quando pela primeira vez ele se tornou consciente, totalmente consciente, de que isso não é nada que surge da mente. Não faz parte da mente, é algo além. É algo que não tem nada que ver com você, com o seu ego, com a sua mente, com o seu corpo. É algo puro, virgem, é parte da eternidade. Naquele momento em que a mente de Buda estava completamente em repouso, o além o penetrou. Ele se tornou um deus.

É claro que, durante sete dias, ele permaneceu em silêncio. O impacto foi tamanho que ele não conseguiu pronunciar sequer uma palavra. E a história conta que os deuses no céu ficaram muito perturbados, porque é muito raro que um homem se torne um Buda e se ele permanecer em silêncio, então quem vai ensinar os milhões de pessoas que são cegas e tateiam na escuridão? Esta é apenas uma mitologia, uma história bonita, mas significativa e importante. Aqueles deuses vieram, inclinaram-se para Buda e imploraram-lhe:

— Fale! Diga às pessoas o que conseguiu alcançar.

E quando Buda começou a falar, então saiu tudo da sua mente, tudo fazia parte da mente. O fenômeno em si aconteceu em silêncio, mas então ele teve de usar palavras. Aquelas palavras pertencem à mente.

O que eu sei está além da mente, o que eu digo a você é através da mente. As minhas palavras fazem parte da mente, mas o meu saber não faz parte da mente.

CAPÍTULO 12

ENCONTRE O GUIA INTERIOR

Você tem um guia dentro de si mas não o usa. E não o tem usado por tanto tempo, por tantas vidas, que pode nem saber mais que existe um guia dentro de você.

Eu estava lendo um livro de Castañeda. O mestre dele, Don Juan, lhe deu uma bela experiência para fazer. É uma das experiências mais antigas. Numa noite escura, numa estradinha muito escarpada, perigosa, em total escuridão, o mestre de Castañeda disse:

— Você simplesmente acredita no guia interior e começa a correr.

Era perigoso. Era uma estradinha à beira de um precipício, desconhecida para ele, com árvores, arbustos, abismos. Ele poderia cair a qualquer momento. Mesmo de dia, seria preciso tomar muito cuidado para andar por ali, e à noite estava tudo escuro. Ele não conseguia ver nada e o seu mestre dizia:

— Não ande, corra!

Ele não conseguia acreditar! Era simplesmente suicídio. Ele ficou apavorado — mas o mestre corria. Ele corria como um animal selvagem, e voltou correndo. E Castañeda não entendia como ele fazia aquilo. Não só ele corria no escuro, mas a cada vez ele vinha correndo diretamente na direção dele, como se conseguisse enxergar. Então, pouco a

ENCONTRE O GUIA INTERIOR

pouco, Castañeda criou coragem. Se aquele velho conseguia fazer aquilo, por que ele não conseguiria? Ele tentou e pouco a pouco sentiu uma luz interior surgir. Então começou a correr.

Você apenas *é* sempre que pára de pensar. No instante em que pára de pensar, o interior se manifesta. Se você não pensar, está tudo bem — é como se algum guia interior estivesse agindo. A sua razão tem enganado você. E o maior engano tem sido o seguinte: você não consegue acreditar no guia interior.

Primeiro, você tem de convencer a sua razão. Mesmo que o seu guia interior diga: "Vá em frente", você tem de convencer a razão e então perde oportunidades. Porque há momentos... você pode aproveitá-los ou perdê-los. O intelecto requer tempo, e enquanto você está refletindo, contemplando, pensando, você perde o momento. A vida não espera por você. É preciso viver imediatamente. É preciso ser realmente um guerreiro, com dizem no Zen, porque quando está lutando no campo com a sua espada, você não pode pensar. Você tem de seguir sem pensar.

Os mestres zen usam a espada como uma técnica de meditação e dizem no Japão que se dois mestres zen, duas pessoas contemplativas, estão lutando com aquelas espadas, não pode haver desfecho. Nenhum dos dois pode ser derrotado e nenhum vai vencer, porque ambos não estão pensando. As espadas simplesmente não estão nas mãos deles, elas estão nas mãos do guia interior deles, o guia interior do não-pensamento, e antes que o outro ataque, o guia sabe e defende. Você não pode pensar a respeito porque não há tempo. O outro está apontando para o seu coração. Numa fração de segundo a espada irá penetrar o seu coração. Não há tempo para pensar a respeito, sobre o que fazer. Quando o pensamento "penetrar o coração" ocorrer a ele, ao mesmo tempo o pensamento "defender" deverá ocorrer a você — simultaneamente, sem nenhum intervalo — só então você poderá se defender. De outra maneira você não existirá mais.

INTUIÇÃO

Então eles ensinam a esgrima como uma meditação e dizem: "Esteja a todo momento com o guia interior, não pense. Permita que o ser interior faça o que lhe aprouver. Não interfira com a mente." Isso é muito difícil porque somos muito treinados a usar a mente. As escolas, as faculdades, as universidades, toda a cultura, todo o padrão de civilização ensina a nossa cabeça. Nós perdemos o contato com o guia interior. Todo mundo nasce com esse guia interior, mas não o deixam agir, atuar. Ele está quase paralisado, mas pode ser revivido.

Não pense com a cabeça. Na verdade, não pense nada. Apenas movimente-se. Tente fazê-lo em algumas situações. Será difícil, porque o antigo hábito será de começar a pensar. Você terá de ficar alerta — não pensar, mas sentir internamente o que lhe ocorrer na mente. Você poderá ficar confuso muitas vezes, porque não será capaz de saber se aquilo está vindo do guia interior ou da superfície da mente. Mas logo você conhecerá a sensação, a diferença.

Quando algo vem de dentro, vem do seu umbigo para cima. Você pode sentir o fluxo, o calor, vindo do umbigo para cima. Sempre que a sua mente pensa, é apenas na superfície, na cabeça, e então aquilo desce. Se a sua mente decidiu alguma coisa, então você tem de forçar isso para baixo. Se o seu guia interior decidir, então algo borbulhará em você. Isso parte do âmago do seu ser e vai até a mente. A mente o recebe, mas aquilo não é da mente. Aquilo vem do além — e é por isso que a mente tem medo disso. Para a razão isso não é confiável, porque vem de trás — sem nenhuma razão própria, sem provas. Simplesmente borbulha.

Experimente em determinadas situações. Por exemplo, você se perdeu numa floresta — faça o teste. Não pense. Apenas feche os olhos, sente-se, medite e não pense. Porque é tolice — como você pode pensar? Você não sabe. Mas pensar tornou-se tanto um hábito que você continua pensando mesmo em momentos em que nada pode sair do seu pensamento. O pensamento pode pensar apenas sobre algo que já é co-

ENCONTRE O GUIA INTERIOR

nhecido. Você está perdido numa floresta, não tem nenhum mapa, não há ninguém para lhe dar informações. Sobre o que você vai pensar? Mas ainda assim você pensa. Esse pensamento será apenas uma preocupação, não um pensamento. E quanto mais você se preocupa, menos o guia interior pode ser competente.

Não se preocupe. Sente-se embaixo de uma árvore, e simplesmente deixe os pensamentos de lado e se acalme. Apenas espere, não pense. Não crie o problema, apenas espere. E quando sentir um momento de não-pensamento chegar, levante-se e comece a andar. Para onde quer que o seu corpo vá, deixe que ele vá. Seja apenas uma testemunha. Não interfira. O caminho perdido será encontrado facilmente. Mas há apenas uma condição: não deixe a mente interferir.

Isso tem acontecido muitas vezes sem que ninguém saiba. Grandes cientistas dizem que sempre que fizeram uma grande descoberta, ela nunca foi feita pela mente; ela sempre foi feita pelo guia interior.

Quando a sua mente está exausta e não pode fazer mais nada, ela simplesmente se retira. Nesse momento de retiro, o guia interior pode dar sugestões, indicações, soluções. O homem que ganhou o Prêmio Nobel por causa da estrutura interna da célula humana, viu-a num sonho. Ele viu toda a estrutura da célula humana, o interior da célula, num sonho, e então pela manhã simplesmente a desenhou. Ele próprio não acreditava que conseguiria fazê-lo, então teve de trabalhar por vários anos. Depois de anos de trabalho, concluiu que o sonho era verdadeiro.

Com Madame Curie aconteceu que, quando ela soube desse processo do guia interior, resolveu testá-lo. Uma vez havia um problema que queria resolver, então ela pensou: "Por que me preocupar com isso, e por que tentar? Basta ir dormir." Ela dormiu bem, mas não encontrou a resposta. Então ela ficou confusa. Depois tentou várias vezes: quando havia um problema, imediatamente ela ia dormir — mas não encontrava a solução.

Primeiro, o intelecto tem de ser esgotado completamente; só depois a solução aparece. A cabeça tem de ser completamente exaurida; do contrário ela continua funcionando, até mesmo em sonho.

Portanto, hoje os cientistas dizem que todas as grandes descobertas foram intuitivas, não intelectuais. Isso é o que quer dizer o guia interior.

Tire a cabeça e coloque esse guia interior em seu lugar. Ele está lá. As antigas escrituras dizem que o mestre ou o guru — o guru "externo" — pode ser útil apenas para encontrar o guru interior. Isso é tudo. Depois que o guru exterior ajudou você a encontrar o guru interior, não há mais função para o guru exterior.

Você não pode alcançar a verdade por meio de um mestre; você só pode alcançar o mestre interior por meio de um mestre — e então esse mestre interior levará você até a verdade. O mestre exterior é apenas um representante, um substituto. Ele tem o guia interior dele e ele pode sentir o seu guia interior também, porque ambos existem no mesmo comprimento de onda — ambos existem na mesma sintonia e na mesma dimensão. Se eu tiver encontrado o meu guia interior, poderei olhar para você e sentir o seu guia interior. E se eu sou realmente um guia para você, toda a minha orientação será conduzir você até o seu guia interior. Depois de você ter contato com o seu guia interior, não serei mais necessário. Então você poderá seguir sozinho.

Portanto, tudo o que um guru pode fazer é pressionar você da cabeça para o umbigo, do raciocínio para a força intuitiva, da mente argumentativa para o guia de confiança. E isso não acontece apenas com seres humanos, mas também com animais, com os pássaros, com as árvores, com tudo. O guia interior existe e foram descobertos muitos novos fenômenos misteriosos a respeito.

Existem vários casos. Por exemplo, o peixe-fêmea morre imediatamente depois de pôr os ovos. Então o pai ajuda os ovos a serem fertili-

ENCONTRE O GUIA INTERIOR

zados e depois morre. Os ovos ficam sozinhos, sem pai nem mãe. Eles amadurecem. Então novos peixes nascem. Esses peixes não sabem nada sobre pai, mãe, pais; eles não sabem nada sobre de onde vêm. Mas, embora esses peixes vivam numa parte do mar, eles vão para a parte onde o pai e a mãe puseram os ovos. Eles vão em direção à origem. Isso tem acontecido continuamente, e quando chega a vez deles de pôr ovos eles vão para aquele lugar, põem os ovos e morrem. Portanto, não há comunicação entre os pais e os filhos, mas os filhos de alguma forma sabem para onde devem ir, para onde devem seguir — e eles nunca erram. E você não pode enganá-los. Isso foi tentado, mas não se conseguiu enganá-los. Eles vão direto à origem. É a ação de algum guia interior.

Na Rússia Soviética, foram feitos experimentos com gatos, ratos e com muitos animais pequenos. Uma gata que havia dado cria foi separada da sua ninhada e os filhotes foram escondidos no fundo do mar; ela não tinha como saber o que acontecia aos seus filhotes. Foram colocados todos os tipos de instrumentos científicos na gata para medir o que acontecia no interior da mente e do coração dela, e então mataram um filhote, no fundo do mar. Imediatamente a mãe tomou conhecimento. A pressão sanguínea dela mudou. Ela ficou confusa e preocupada, seus batimentos cardíacos aumentaram logo que o filhote morreu. E os instrumentos científicos indicaram que ela sentia uma grande dor. Depois de algum tempo tudo voltou ao normal. Então sacrificaram outro filhote — a mudança se repetiu. E o mesmo se deu com o terceiro filhote. Acontecia toda vez, exatamente ao mesmo tempo, sem nenhum intervalo de tempo. O que estava acontecendo?

Os cientistas dizem que a mãe tinha um guia interior, um centro sensível interior, e que este se unia aos filhotes, onde quer que eles estivessem. E ela imediatamente sentia uma relação telepática. A mãe humana não sente tanto. Isso é constrangedor — devia acontecer o contrário: a mãe humana devia sentir mais porque ela é mais evoluída. Mas ela não sente, porque a cabeça tomou tudo nas próprias mãos e os centros interiores estão todos paralisados.

Sempre que você estiver confuso numa situação e não conseguir saber como sair dela, não pense; apenas fique num profundo estado de não pensar e permita que o guia interior oriente você. No início, você vai sentir medo, insegurança. Mas logo, quando toda vez você chegar à conclusão acertada, quando toda vez chegar à porta certa, você vai criar coragem e confiar.

A sabedoria vem do coração, ela não pertence ao intelecto. A sabedoria vem das maiores profundezas do seu ser, ela não pertence à sua cabeça.

Corte fora a sua cabeça, fique sem cabeça — e siga o ser aonde quer que ele o guie. Até mesmo se ele o guiar para o perigo, vá para o perigo, porque esse será o caminho para você e para o seu crescimento. Siga-o, confie nele, e ande com ele.

CAPÍTULO 13

FAÇA DA FELICIDADE UM CRITÉRIO

Uma pessoa que vive por intermédio da intuição é sempre bem-sucedida? Não, mas ela é sempre feliz, seja ou não bem-sucedida. E uma pessoa que não vive intuitivamente está sempre infeliz, seja ou não bem-sucedida. Ser bem-sucedido não é o critério, porque o sucesso depende de muitas coisas. A felicidade é o critério, porque a felicidade depende apenas de você. Você pode não ser bem-sucedido porque os outros são seus adversários. Mesmo se estiver agindo intuitivamente, os outros poderão ser mais astuciosos, mais espertos, mais interesseiros, mais violentos, mais imorais. Portanto, ser bem-sucedido depende de muitas outras coisas; o sucesso é um fenômeno social. Você pode não ser bem-sucedido.

Quem pode dizer que Jesus foi bem-sucedido? A crucificação não é um sinal de sucesso, é o maior fracasso. Um homem crucificado aos trinta e três anos de idade — que tipo de sucesso é esse? Ninguém o conhecia. Apenas alguns aldeões, pessoas incultas, eram os seus discípulos. Ele não tinha posição, nem prestígio, nem poder. Que tipo de sucesso é esse? A crucificação não pode ser considerada um sucesso. Mas ele estava contente. Ele estava totalmente feliz — até mesmo ao ser crucificado. E aqueles que o estavam crucificando viveriam por muitos anos, mas continuariam sendo infelizes. Então, na verdade, quem estava sendo crucificado? Essa é a questão. Aqueles que crucificaram Jesus foram crucificados ou foi Jesus quem foi crucificado? Ele estava feliz — como se pode crucificar a felicidade? Ele estava em êxtase — como se pode crucificar o êxtase? Você pode matar o corpo, mas não pode matar a alma. Aqueles que o crucificaram continuaram vivendo, mas a sua vida não passou de uma longa e lenta crucificação — infelicidade, infelicidade, infelicidade.

Portanto, a primeira coisa que eu não digo é que, seguindo o guia interior da sua intuição, você será sempre bem-sucedido, no sentido que o mundo reconhece como sucesso. Mas, no sentido que um Buda ou um Jesus reconhecem como sucesso, você será bem-sucedido. E esse sucesso é medido pela sua alegria, pela sua felicidade — o que quer que aconteça, é irrelevante, você estará feliz. Não importa que o mundo diga que você foi um fracasso ou que o mundo o torne uma estrela de sucesso, isso não fará nenhuma diferença. Você será feliz qualquer que seja o caso; você estará contente. Felicidade é sucesso para mim. Se você puder entender que a felicidade é sucesso, então eu lhe digo que você vai ser bem-sucedido sempre.

Mas para você felicidade não é sucesso; o sucesso é outra coisa. Ele pode até mesmo ser infelicidade. Mesmo sabendo que ele vai acabar em infelicidade, você deseja o sucesso. Estamos prontos para ser infelizes se formos bem-sucedidos. Portanto, o que é o sucesso para nós? O sucesso é a satisfação do ego, não a felicidade. Tanto que as pessoas dirão que você foi bem-sucedido. Você pode ter perdido tudo — pode ter perdido a sua alma; pode ter perdido toda aquela inocência que dá felicidade; você pode ter perdido toda a paz, o silêncio que o aproxima do divino. Você pode ter perdido tudo e acabar ficando louco — mas o mundo dirá que você é um sucesso.

Para o mundo, a gratificação do ego é o sucesso; para mim não é. Para mim, ser feliz é o sucesso — quer todo mundo saiba a seu respei-

FAÇA DA FELICIDADE UM CRITÉRIO 177

to, quer não saiba. É irrelevante alguém saber a seu respeito ou não, se você vive totalmente desconhecido, sem ninguém ouvir falar de você, sem ser notado. Mas se você é feliz, então foi bem-sucedido.

Portanto, lembre-se dessa distinção, porque há muitas pessoas que gostariam de ser intuitivas, que gostariam de encontrar o guia interior, só para ser bem-sucedidas no mundo. Para elas, o guia interior será uma frustração. Em primeiro lugar, elas não conseguem encontrá-lo. Em segundo lugar, mesmo que consigam encontrá-lo, elas serão infelizes. Porque o que elas procuram é o reconhecimento do mundo, a satisfação do ego — não a felicidade.

Mantenha a sua clareza mental — não viva buscando o sucesso. O sucesso é o maior fracasso do mundo. Portanto, não tente ser bem-sucedido, ou então você será um fracasso. Pense em ser feliz. A todo momento, pense em ser mais e mais feliz. Então o mundo poderá dizer que você é um fracasso, mas você não será um fracasso. Você terá se realizado.

Buda foi um fracasso aos olhos dos amigos, da família, da esposa, do pai, dos professores, da sociedade — ele foi um fracasso. Ele se tornou apenas um mendigo. Que tipo de sucesso é esse? Ele poderia ter sido um grande imperador; ele tinha as qualidades, ele tinha a personalidade, ele tinha a mente. Ele poderia ter sido um grande imperador, mas se tornou um mendigo. Ele foi um fracasso — obviamente. Mas eu digo a você que ele não foi um fracasso. Se ele tivesse se tornado um imperador, então ele teria sido um fracasso, porque teria perdido a verdadeira vida dele. O que ele atingiu debaixo da árvore do conhecimento supremo foi a verdade, e o que ele perdeu foi a inverdade.

Com a verdade você vai ser bem-sucedido na vida interior; com a inverdade... Eu não sei. Se você quiser ser bem-sucedido na inverdade, siga o caminho daqueles que agem com astúcia, esperteza, competição, inveja, violência. Siga o caminho deles, o guia interior não é para você.

Se você quiser obter alguma coisa do mundo, então não dê ouvidos ao guia interior.

Mas, por fim, você vai acabar sentindo que, embora tenha vencido o mundo inteiro, perdeu a si mesmo. Jesus diz: "E o que um homem ganha se perde a sua alma e ganha o mundo inteiro?" Quem vai chamar isso de sucesso — Alexandre, o Grande; ou Jesus, o crucificado?

Portanto, se — e esse "se" tem de ser bem entendido —, se você estiver interessado no mundo, então o guia interior não será um guia para você. Se estiver interessado na dimensão interior do ser, então o guia interior, e apenas o guia interior, poderá ajudar.

CAPÍTULO 14

BUSQUE A POESIA

S em dúvida, existem muitas coisas que não podem ser expressas nas línguas ocidentais, porque a maneira oriental de considerar a realidade é basicamente, fundamentalmente, tacitamente diferente. Acontece, às vezes, de a mesma questão poder ser tratada segundo o enfoque oriental e o ocidental, e na superfície as conclusões podem parecer semelhantes, mas elas não podem ser. Se você se aprofundar um pouco, se cavar um pouco mais fundo, irá encontrar grandes diferenças — não diferenças comuns, mas diferenças extraordinárias.

Ainda na noite passada, eu estava lendo o famoso haicu de Basho, o místico e mestre zen. Esse haicu pode não parecer uma grande poesia para a mente ocidental, ou à mente que tenha sido educada de maneira ocidental. E hoje o mundo inteiro está sendo educado na maneira ocidental; Oriente e Ocidente desaparecem no que se refere à educação.

Leia-o em completo silêncio, porque ele não é o que você chamaria de grande poesia, mas é de uma grande compreensão — o que é muito mais importante. Ele tem uma enorme poesia, mas para sentir essa poesia você tem de ser muito sutil. Intelectualmente, ele não pode ser compreendido; ele só pode ser compreendido intuitivamente.

O haicu é o seguinte:

Olhando com cuidado,
Vejo a nazunia florindo
na cerca!

Bem, esses versos não se parecem com uma grande poesia. Mas vamos observá-los com mais compreensão, porque Basho está sendo traduzido; na língua dele, há toda uma textura e um sabor diferentes.

A nazunia é uma flor muito comum — ela cresce espontaneamente à beira da estrada, é uma flor semelhante ao lírio. Ela é tão comum que ninguém repara na existência dela. Não é uma rosa preciosa, não é uma rara flor de lótus. É fácil ver a beleza de uma rara flor de lótus flutuando num lago — uma flor de lótus azul, como você poderia deixar de vê-la? Por um instante, você tende a se sentir atraído pela beleza dessa flor. Ou uma linda rosa oscilando ao vento, brilhando ao sol... por uma fração de segundo ela toma conta dos seus sentidos. É formidável. Mas uma nazunia é uma flor muito comum, vulgar. Ela não precisa de jardinagem nem de jardineiro; ela cresce espontaneamente em toda parte. Para ver uma nazunia com atenção é preciso ser uma pessoa contemplativa, alguém de uma consciência muito delicada; do contrário passará por ela. Ela não tem uma beleza evidente, a beleza dela é profunda. A beleza dela é a das coisas muito comuns, mas o muito comum contém em si o extraordinário — até mesmo a flor da nazunia. A menos que você se infiltre nela com um coração compreensivo, solidário, não irá percebê-la.

Quando se lê Basho pela primeira vez começa-se a pensar: "O que há de tão imensamente importante a dizer sobre uma nazunia florindo na cerca?"

No poema de Basho, a última sílaba — *kana* em japonês — é traduzida por um ponto de exclamação, porque não temos outra maneira de traduzi-la. Mas *kana* significa: "Estou impressionado!" Então, de on-

BUSQUE A POESIA

181

de vem a beleza? Ela vem da nazunia? — porque milhares de pessoas podem ter passado pela beira da cerca e nunca ninguém deve ter sequer olhado para aquela florzinha. E Basho está possuído pela beleza dela, sendo transportado a outro mundo. O que aconteceu?

Não se trata realmente da nazunia, ou então ela chamaria a atenção de todo mundo. Trata-se de uma percepção repentina de Basho, do seu coração aberto, da sua visão compassiva, da sua atitude contemplativa. A meditação é uma alquimia: pode transformar o metal da base em ouro, pode transformar uma flor de nazunia numa flor de lótus.

Olhando com cuidado...

E a expressão *com cuidado* significa com atenção, com consciência, de maneira meticulosa, cautelosa, com amor, com carinho. Se você olhar sem nenhum carinho, perderá tudo o que interessa. A expressão *com cuidado* precisa ser considerada em todos os seus significados, mas o significado básico é "de maneira contemplativa". E o que significa quando você observa alguma coisa de maneira contemplativa? Significa contemplar sem o uso da mente, observar sem a mente, sem nuvens de pensamentos no céu da sua consciência, sem lembranças passando, sem desejos... absolutamente sem nada, um vazio completo.

Nesse estado de ausência da mente, quando você observa, até mesmo a flor da nazunia é transportada para um outro mundo. Ela se torna uma flor de lótus do paraíso, deixa de fazer parte da terra; o incomum foi encontrado no comum. E esse é o caminho, a maneira de proceder de um Buda. Encontrar o incomum no comum, encontrar tudo já, encontrar o todo nisso — Gautama Buda chama-o de *tathata*.

O haicu de Basho é um haicu de *tathata*. Essa nazunia — observada com carinho, com amor através do coração, da consciência desanuviada, num estado em que não há interferência da mente — produz esse espanto, esse assombro. Um milagre acontece. Como ele é possível? Essa nazunia... e se a nazunia é possível, então tudo é possível. Se uma nazunia pode ser tão linda, Basho pode ser um Buda. Se uma nazunia pode conter tanta poesia, então toda pedra pode se tornar um sermão.

Olhando com cuidado, vejo a nazunia florindo na cerca!

Kana — estou impressionado! Estou perplexo; não consigo dizer nada sobre essa beleza — só posso me referir a ela.

Um haicu simplesmente sugere, o haicu apenas indica — e de uma maneira muito indireta.

Uma situação semelhante encontra-se num poema famoso de Tennyson; poderia ser muito interessante para você comparar os dois. Basho representa o intuitivo, Tennyson o intelectual. Basho representa o Oriente, Tennyson o Ocidente. Basho representa a meditação, Tennyson a mente. Eles parecem semelhantes, e às vezes a poesia de Tennyson pode parecer mais poética que a de Basho porque é direta, é óbvia.

> *Flor do muro fendilhado*
> *Arranco-te das fendas*
> *Sustenho-te na mão, com raízes e tudo,*
> *Florzinha — ah, se eu pudesse entender*
> *O que és, com raízes e tudo, considerando tudo,*
> *Eu saberia quem são Deus e o homem.*

Um belo trecho, mas nada parecido com Basho. Vamos ver onde Tennyson torna-se totalmente diferente.

Primeiro: *Flor do muro fendilhado, arranco-te das fendas...*

Basho simplesmente olha para a flor, ele não a arranca. Basho é uma consciência passiva; Tennyson é ativo, violento. Na verdade, se você ficou realmente impressionado pela flor, não pode arrancá-la. Se a flor atingiu o seu coração, como você pode arrancá-la? Arrancá-la significa destruí-la, matá-la — é assassinato! Ninguém pensou na poesia de

BUSQUE A POESIA

Tennyson como assassinato — mas é assassinato. Como você pode destruir algo tão lindo?

Mas é assim que a nossa mente funciona; ela é destrutiva. Ela quer possuir, e a possessão só é possível pela destruição.

Lembre-se, sempre que você possuir alguma coisa ou alguém, você destruirá essa coisa ou pessoa. Você possui a mulher? — você a destrói, a beleza dela, a alma dela. Você possui o homem? — ele não é mais um ser humano; você o reduziu a um objeto, a uma mercadoria.

Basho olha "com cuidado" — apenas olha, nem sequer olha fixamente, de maneira concentrada. Apenas um olhar, suave, feminino, como se tivesse receio de ferir a nazunia.

Tennyson arranca-a das fendas e diz:

Sustenho-te na mão, com raízes e tudo, florzinha...

Ele permanece separado. O observador e o observado em nenhum momento se fundem, se misturam, se encontram. Não é um caso de amor. Tennyson ataca a flor, arranca-a com raiz e tudo, segura-a na mão.

A mente acha bom sempre que pode possuir, controlar, segurar. Um estado de consciência contemplativo não está interessado em possuir, em segurar, porque todas essas são atitudes de uma mente violenta.

E ele diz: "flor*zinha*" — a flor permanece pequena, ele permanece num pedestal superior. Ele é um homem, um grande intelectual, um grande poeta. Ele permanece no próprio ego: "florzinha".

Para Basho, não é uma questão de comparação. Ele não diz nada sobre si mesmo, como se não existisse. Não há observador. A beleza é tal que provoca uma transcendência. A flor da nazunia está lá, florindo na cerca — *kana* — e Basho está simplesmente impressionado, perplexo na própria raiz do seu ser. A beleza é esmagadora. Em vez de possuir a flor, ele é possuído pela flor. Ele está em total rendição perante a beleza da flor, a beleza do momento, a bênção do momento.

Florzinha, diz Tennyson, *ah, seu eu pudesse entender...*

Essa obsessão por entender! Apreciar não é suficiente, o amor não é o bastante; é preciso entender, produzir conhecimento. A menos que se manifeste o conhecimento, Tennyson não fica bem. A flor tem de se tornar um ponto de interrogação. Para Tennyson é um ponto de interrogação, para Basho é um ponto de exclamação.

Aí está a grande diferença: o ponto de interrogação e o ponto de exclamação.

O amor é suficiente para Basho. O amor *é* compreensão. Para que mais compreensão? Mas Tennyson parece não saber nada de amor. A mente dele está lá, ansiando por saber.

Ah, se eu pudesse entender o que és, com raízes e tudo, considerando tudo...

E a mente é compulsivamente perfeccionista. Nada pode ficar desconhecido, nada pode permanecer desconhecido e misterioso. *Com raízes e tudo, considerando tudo* tem de ser entendido. A menos que a mente conheça tudo, ela permanece temerosa — porque o conhecimento dá poder. Se existe algum mistério, você tende a permanecer com medo, porque o misterioso não pode ser controlado. E quem sabe o que está oculto no misterioso? Talvez o inimigo, talvez um perigo, alguma insegurança? E quem sabe o que isso vai fazer a você? Antes que isso possa fazer alguma coisa, tem de ser entendido, tem de ser conhecido. Nada pode ficar misterioso.

Mas então toda a poesia desaparece, todo o amor desaparece, todo o mistério desaparece, todo o milagre desaparece. A alma desaparece, a canção desaparece, a celebração desaparece. Tudo é conhecido — então nada tem valor. Tudo é conhecido — então nada vale a pena. Tudo é conhecido — então a vida não tem sentido, não há significado na vida.

Veja o paradoxo: primeiro a mente diz: "Conheça tudo!" — e quando você conheceu a mente diz: "Não há sentido na vida."

BUSQUE A POESIA

Você destruiu o significado e agora ansia por significado. A mente é muito destrutiva em relação ao significado. E porque ela insiste que tudo pode ser conhecido, ela não pode permitir a terceira categoria, o incognoscível — que vai permanecer incognoscível eternamente. E no incognoscível está o significado da vida.

Todos os grandes valores — a beleza, o amor, Deus, a prece —, tudo o que realmente é importante, tudo o que faz valer a pena viver, faz parte da terceira categoria: o incognoscível. O incognoscível é um outro nome para Deus, um outro nome para o misterioso e o miraculoso. Sem ele não pode haver milagre no seu coração — e sem milagre o coração não é mais coração, e sem assombro você perde algo imensamente precioso. Então os seus olhos estão cheios de poeira, eles perdem a clareza. Então o pássaro canta mas você não se emociona, não se incomoda, o seu coração não se abala — porque você conhece a explicação.

As árvores são verdes, mas o verdor não transforma você num bailarino, num cantor. Ele não desperta a poesia em você, porque você conhece a explicação: é a clorofila que torna as árvores verdes. Então não resta nada de poesia. Quando a explicação aparece a poesia desaparece. E todas as explicações são utilitárias, não são supremas.

Se você não confia no incognoscível, então como pode dizer que a rosa é bela? Onde está a beleza? A beleza não é um componente químico da rosa. A rosa pode ser analisada e você não vai encontrar beleza nenhuma nela. Se você não acredita no incognoscível, pode fazer uma autópsia num homem após a morte — e não vai encontrar nenhuma alma. E pode continuar procurando Deus, mas não vai encontrá-lo em nenhum lugar, porque ele está em toda parte. A mente vai deixar de percebê-lo, porque a mente gostaria que ele fosse um objeto e Deus não é um objeto.

Deus é uma vibração. Se você está sintonizado com o som mudo da existência, se você está sintonizado com as palmas batidas por uma única mão, se você está sintonizado com o que os místicos indianos chamaram de *anahat* — a música suprema da existência — se você está sintonizado com o misterioso, você vai saber que *apenas* Deus é, e nada mais. Então Deus se torna sinônimo da existência.

Mas essas coisas não podem ser entendidas, essas coisas não podem ser reduzidas ao conhecimento — e é aí que Tennyson falha, falha na questão inteira. Ele diz:

Florzinha — ah, se eu pudesse entender o que és, com raízes e tudo, considerando tudo, eu saberia quem são Deus e o homem.

Mas é tudo "mas" e "se".

Basho *sabe* o que Deus é e o que o homem é nesse ponto de exclamação — *kana*. "Estou pasmo, estou surpreso... *nazunia florindo na cerca!*"

Quem sabe seja uma noite de lua cheia, ou quem sabe seja de manhã cedinho — eu chego mesmo a ver Basho parado à beira da estrada, imóvel, como se tivesse parado de respirar. Uma nazunia... e tão bela. Todo o passado se foi, todo o futuro desapareceu. Não há mais perguntas na mente dele, mas apenas um puro assombro. Basho tornou-se uma criança. De novo aqueles olhos inocentes de uma criança olhando para uma nazunia, com cuidado, com carinho. E nesse amor, nesse cuidado, existe um tipo totalmente diferente de compreensão — não intelectual, não analítico. Tennyson intelectualiza todo o fenômeno, e destrói a sua beleza.

Tennyson representa o Ocidente, Basho representa o Oriente. Tennyson representa a mente masculina, Basho representa a mente feminina. Tennyson representa a mente, Basho representa a ausência da mente.

POSFÁCIO

SEM DESTINO

A distinção é muito sutil, mas é a mesma distinção que há entre a mente e o coração, que há entre a lógica e o amor, ou mesmo, mais adequadamente, que há entre a prosa e a poesia.

Um destino é uma coisa muito nítida; uma orientação é muito intuitiva. Um destino é algo fora de você, como se fosse um objeto. Uma orientação é uma sensação interior; não um objeto, mas a sua própria subjetividade. Você pode sentir a orientação, mas não pode conhecê-la. Você pode conhecer o destino, mas não pode senti-lo. O destino está no futuro. Uma vez definido, você começa a conduzir a sua vida na direção dele, guiando a sua vida para ele.

Como você pode definir o futuro? Quem é você para definir o desconhecido? Como é possível estabelecer o futuro? O futuro é o que não é conhecido ainda. O futuro é uma possibilidade aberta. Ao estabelecer um destino, o seu futuro não é mais futuro, porque não está mais aberto. Agora você escolheu uma alternativa entre muitas, porque quando todas as alternativas estavam abertas era futuro. Agora, todas as alternativas foram descartadas; só uma alternativa foi escolhida. Ela não é mais futuro, ela é o seu passado.

188 INTUIÇÃO

Quando você define um destino, é o passado que está definindo. A sua vivência do passado, o seu conhecimento do passado é que decidem. Você mata o futuro — então você repete o seu próprio passado, talvez um pouco modificado, um pouco mudado aqui e ali, de acordo com a sua comodidade, a sua conveniência. Repintado, reformado, mas ainda assim ele deriva do passado. Essa é a maneira de se desencaminhar o futuro: definindo o destino, perde-se o caminho para o futuro. Assim a pessoa torna-se morta, começa a agir como um mecanismo.

A orientação é algo vivo, momentâneo. Ela não conhece o futuro, não conhece o passado, mas ela pulsa, vibra aqui e agora. E a partir desse momento pulsante, o momento seguinte é criado. Não por alguma decisão da sua parte — mas simplesmente porque você vive este momento e vive-o totalmente, e ama esse momento integralmente, a partir dessa integridade o momento seguinte nasce. Ele vai ter uma orientação. Essa orientação não é dada por você, não é imposta por você; é espontânea.

Você não pode definir a orientação, só pode viver este momento que está disponível a você. Ao vivê-lo, surge a orientação. Se você dança, o momento seguinte será de uma dança mais acentuada. Não que você decida, mas você simplesmente dança este momento. Você criou uma orientação, você não a está manipulando. O momento seguinte será mais cheio de dança, e ainda assim mais vontade virá.

O destino é fixado pela mente; a orientação pertence à vida. O destino é lógico: a pessoa quer ser um médico, quer ser um engenheiro, quer ser um cientista ou quer ser um político. A pessoa quer ser um homem rico, um homem famoso — esses são destinos. Orientação? — a pessoa simplesmente vive o momento confiando profundamente na definição da vida. A pessoa vive esse momento tão totalmente que a partir dessa totalidade nasce um frescor. Dessa totalidade o passado se dissolve e o futuro começa a tomar forma. Mas essa forma não é dada por você, essa forma não lhe pertence.

Um mestre zen, Rinzai, estava morrendo; ele estava no leito de morte. Alguém perguntou:

— Mestre, as pessoas vão perguntar depois que você se for, qual foi o seu ensinamento básico. Você disse muitas coisas, falou sobre muitas coisas... será difícil para nós condensar tudo. Antes de partir, por favor, condense tudo numa única frase, assim poderemos guardá-la. E sempre que as pessoas que não o conheceram desejarem, poderemos lhes dar o seu ensinamento básico.

Morrendo, Rinzai abriu os olhos, deu um grande grito zen, um rugido de leão! Ficaram todos chocados! Eles não acreditavam que aquele homem à beira da morte pudesse ter tanta energia. Eles não esperavam. O homem era imprevisível, sempre fora, mas mesmo com esse homem imprevisível eles nunca esperavam que na hora da morte, no último instante, ele desse um rugido leonino daqueles. E quando eles ficaram chocados — e é claro que a mente de todos parou, com todos surpresos, perplexos —, Rinzai disse:

— É isso aí! — fechou os olhos e morreu.

É isso aí...

Aquele momento, aquele momento de silêncio, aquele momento não corrompido pelo pensamento, aquele silêncio que envolveu a surpresa, aquele último rugido de leão antes da morte — era isso.

Sim, a orientação surge de viver esse momento. Ela não é algo que você controle e planeje. Ela acontece, é muito sutil e você nunca terá certeza sobre ela. Você só pode senti-la. É por isso que eu digo que é mais como poesia, não como prosa; mais como amor, não como lógica; mais como arte que como ciência. E essa é a beleza dela — hesitante, tão hesitante como uma gota de orvalho numa folha de relva, escorregando, sem saber para onde, sem saber por quê. Ao sol da manhã, só escorregando numa folha de relva.

A orientação é muito sutil, delicada, frágil.

O destino pertence ao ego; a orientação pertence à vida, ao ser.

Para andar no mundo da orientação é preciso enorme confiança, porque não se anda em segurança, anda-se no escuro. Mas o escuro dá uma certa emoção: sem um mapa, sem um guia, você caminha pelo desconhecido. Cada passo é uma descoberta e não é apenas descoberta do mundo exterior. Ao mesmo tempo, algo é descoberto dentro de você também. Um descobridor não só descobre coisas. Enquanto ele segue descobrindo mais e mais mundos desconhecidos, ele descobre a si mesmo também, ao mesmo tempo. Cada descoberta é uma descoberta interior também. Quanto mais você sabe, mais você sabe sobre o sabedor. Quanto mais você ama, mais você sabe sobre o amante.

Não vou lhe dar um destino. Só posso lhe dar uma orientação — desperta, palpitante de vida e desconhecido, sempre surpreendente, imprevisível. Não vou lhe dar um mapa. Só posso lhe dar uma grande paixão por descobrir.

Sim, não é preciso um mapa; é necessária uma grande paixão, um grande desejo de descobrir. Então eu o deixo sozinho. Então você segue por conta própria. Entre na vastidão, no infinito, e pouco a pouco, aprenda a confiar nele. Coloque-se nas mãos da vida. O homem que confia, o homem que se emociona até mesmo às portas da morte — ele pode dar um rugido de leão. Mesmo morrendo — porque ele sabe que nada morre —, mesmo no momento da morte ele pode dizer:

— É isso aí!

Porque cada momento é isso aí. Pode ser a vida, pode ser a morte; pode ser o sucesso, pode ser o fracasso; pode ser a felicidade, pode ser a infelicidade.

Cada momento... é isso aí.

Sobre **OSHO**

Osho desafia categorizações. Seus milhares de palestras abrangem desde a busca individual por significado até os problemas sociais e políticos mais urgentes que a sociedade enfrenta hoje. Seus livros não são escritos, mas transcrições de gravações em áudio e vídeo de palestras proferidas de improviso a plateias de várias partes do mundo. Em suas próprias palavras, "Lembre-se: nada do que eu digo é só para você... Falo também para as gerações futuras".

Osho foi descrito pelo *Sunday Times*, de Londres, como um dos "mil criadores do século XX", e pelo autor americano Tom Robbins como "o homem mais perigoso desde Jesus Cristo". O jornal *Sunday Mid-Day*, da Índia, elegeu Osho – ao lado de Buda, Gandhi e o primeiro-ministro Nehru – como uma das dez pessoas que mudaram o destino da Índia.

Sobre sua própria obra, Osho afirmou que está ajudando a criar as condições para o nascimento de um novo tipo de ser humano. Muitas vezes, ele caracterizou esse novo ser humano como "Zorba, o Buda" – capaz tanto de desfrutar os prazeres da terra, como Zorba, o Grego, como de desfrutar a silenciosa serenidade, como Gautama, o Buda.

Como um fio de ligação percorrendo todos os aspectos das palestras e meditações de Osho, há uma visão que engloba tanto a sabedoria perene de todas as eras passadas quanto o enorme potencial da ciência e da tecnologia de hoje (e de amanhã).

Osho é conhecido pela sua revolucionária contribuição à ciência da transformação interior, com uma abordagem de meditação que leva em conta o ritmo acelerado da vida contemporânea. Suas singulares meditações ativas **OSHO** têm por objetivo, antes de tudo, aliviar as tensões acumuladas no corpo e na mente, o que facilita a experiência da serenidade e do relaxamento, livre de pensamentos, na vida diária.

Dois trabalhos autobiográficos do autor estão disponíveis:

Autobiografia de um Místico Espiritualmente Incorreto, publicado por esta mesma Editora.

Glimpses of a Golden Childhood (Vislumbres de uma Infância Dourada).

Para maiores informações: www.**OSHO**.com

Um *site* abrangente, disponível em vários idiomas, que disponibiliza uma revista, os livros de Osho, palestras em áudio e vídeo, **OSHO** biblioteca *on-line* e informações extensivas sobre o **OSHO** Meditação. Você também encontrará o calendário de programas da **OSHO** Multiversity e informações sobre o **OSHO** International Meditation Resort.

Websites:
    http://**OSHO**.com/AllAbout**OSHO**
    http://**OSHO**.com/Resort
    http://**OSHO**.com/Shop
    http://www.youtube.com/**OSHO**international
    http://www.Twitter.com/**OSHO**
    http://www.facebook.com/pages/**OSHO**.International

Para entrar em contato com a **OSHO** International Foundation:
    http://www.osho.com/oshointernational
    E-mail: oshointernational@oshointernational.com